La pájara pinta

AUTORES

José Flores

Ana Margarita Guzmán

Sheron Long

Reynaldo F. Macías

Ramón L. Santiago

Eva O. Somoza

Josefina Villamil Tinajero

CONSULTORES DE LITERATURA

Mauricio E. Charpenel

Isabel Schon

Macmillan Publishing Company

New York

Collier Macmillan Publishers

London

CONSULTORES

Rosa Castro Feinberg
Joanna Fountain-Schroeder
Argentina Palacios

Macmillan Publishing Company
866 Third Avenue
New York, N.Y. 10022
Collier Macmillan Canada, Inc.

Printed in the United States of America

ISBN 0-02-167150-8

9 8 7 6 5 4 3

ACKNOWLEDGMENTS

The publisher gratefully acknowledges permission to reprint the following copyrighted material:

"A Birthday for General Washington" is excerpted from A BIRTHDAY FOR GENERAL WASHINGTON by Johanna Johnston. Copyright © 1976 by Johanna Johnston. Translated and reprinted by permission of Childrens Press.

"Chin Chiang and the Dragon's Dance" adapted from CHIN CHIANG AND THE DRAGON'S DANCE by Ian Wallace. Text and illustrations Copyright © 1985 by Ian Wallace. (A Margaret K. McElderry Book). Translated and reprinted by permission of Douglas & McIntyre Ltd.

"The Code in the Mailbox" from THE CODE IN THE MAILBOX by Kathy Kennedy Tapp. Translated and reprinted by permission of the author.

"Conversaciones" (originally titled "¡Quién pudiera...!") by Elías Nandino is from LA LUCIÉRNAGA compiled by Francisco Serrano. Copyright © 1983 CIDCLI, S.C. Mexico. Used by permission.

"The Conversation Club" (with selected illustrations) is adapted from THE CONVERSATION CLUB by Diane Stanley. Copyright © 1983 by Diane Stanley Vennema by arrangement with Macmillan Publishing Company, a division of Macmillan, Inc.

"The Dog and the Deep Dark Woods" (with ten illustrations) is abridged and adapted from THE DOG AND THE DEEP DARK WOODS by Dick Gackenbach. By permission of McIntosh & Otis, Inc.

"Felipe and Filomena" is abridged and adapted from HOW FAR, FELIPE? by Genevieve Gray. Text Copyright © 1978 by Genevieve Gray. Reprinted by permission of Harper & Row, Publishers, Inc.

"La gata" is from "La gata" in ANIMALES CHARLATANES by Carmen Vázquez-Vigo. Published by Editorial Noguer, S.A., Spain. Used by permission.

"I Go Forth to Move About the Earth" is the first line of an untitled poem by Alonzo López from THE TURQUOISE HORSE, PROSE & POETRY OF THE AMERICAN INDIAN selected by Flora Hood. Text Copyright © 1972 by Flora Hood. Translated and used by permission of Florada H. Gray. By permission also of G. P. Putnam's Sons.

"Maxie" is from MAXIE by Mildred Kantrowitz. Copyright © 1970 by Mildred Kantrowitz. Translated and adapted with permission of Four Winds Press, an imprint of Macmillan Publishing Company.

"The Parrot Who Wouldn't Say 'Cataño'" from ONCE IN PUERTO RICO by Pura Belpré. Copyright © 1973 by Pura Belpré. Reprinted by permission of Viking Penguin Inc.

"People Build Communities" by John Jarolimek and Ruth Pelz is from COMMUNITIES: PEOPLE AND PLACES (Macmillan Social Studies, Grade 3, John Jarolimek, Senior Author). Copyright © 1985 Macmillan Publishing Company, a division of Macmillan, Inc. Translated and reprinted with permission of Macmillan Publishing Company.

"El río" is from "El río" by Boris González in ANTOLOGÍA NACIONAL DE LITERATURA INFANTIL edited by Roberto Rosario Vidal. Copyright © 1984 by Instituto Nacional de Bienestar Familiar and used with their permission.

"Sacajawea's Lesson" from SACAJAWEA: GUIDE TO LEWIS AND CLARK by Jerry Seibert. Copyright © 1960 by Houghton Mifflin Company. Translated and adapted by permission of the publisher.

"Santiago" is from SANTIAGO by Pura Belpré (with Spanish translation also by Pura Belpré). Copyright © 1969, 1971 Pura Belpré. Reprinted by permission of Viking Penguin, Inc.

"El secreto" by Fernando Ortiz Sanz is from SELECCIÓN DE POESÍA BOLIVIANA PARA NIÑOS edited by Luis Fuentes Rodríguez. Published by Biblioteca Infantil de Colección "Popular," Bolivia, 1969. Used by permission of the publisher.

La pájara pinta

Estaba la pájara pinta
sentadita en el verde limón;
con el pico recoge la hoja,
con las alas recoge la flor.

Tradicional

Contenido

Conversaciones

Un niño
fue corriendo
a ver a su mamá
para decirle,
a gritos:
—¡Mamá, mamá,
vamos luego al corral
para que veas
cómo la gallina
ya floreó pollitos!

(Poetas, yo me digo:
¡Quién pudiera
sencillamente mirar,
sentir,
y expresar la poesía
como los niños!)

Elías Nandino

LA GATA

Carmen Vázquez-Vigo

En este cuento, vamos a conocer a Blanquita. Es una gata culta que aprende palabras leyendo el diccionario con su ama. Pero, un día, Blanquita sale a buscar aventuras. Aprende una lección importante sobre la vida y la comunicación con los otros gatos.

Me compraron en una tienda de animales para regalarme a una señora que se llama doña Guiomar.

Cuando doña Guiomar no recibe visitas, lee el diccionario. Lee cada palabra, sin saltarse ni una. Al llegar yo a su casa, andaba por la letra *ge*. Lo sé porque le gusta tenerme en sus rodillas mientras lee.

Un día acabé por acostumbrarme a estar en sus rodillas mientras leía el diccionario. Echaba una siesta y soñaba con platos de leche calentita. Y después daba una ojeada al libro gordo.

La primera palabra que encontré, en la página que mi ama leía, fue "girándula". No la había oído nunca. Pero me sonó bien. Seguí leyendo: "Rueda llena de cohetes". Pensé que sería lo que ponen en las fiestas de los pueblos, o en las ciudades, para celebrar las fechas importantes.

Así aprendí muchas más palabras: "girasol", que es una planta con flores como soles. "Giroscopio", que es una cosa para probar que la Tierra da vueltas. Y muchas más, todas empezando con *ge*.

Pero siempre me daban ganas de irme por ahí. Quería ver los tejados, las casas, el cielo todo entero y no sólo el trocito que deja ver la ventana. Y quería conocer otras gentes, otros olores, otros gatos.

Hasta que un día salté y aparecí en un balcón vecino donde había una jaula con un canario. ¡Y más asustado! En cuanto me vio, empezó a moverse y a chillar. Y no sé por qué. Yo, lo único que quería, era charlar.

—Glorieta —le dije.

Y él seguía brincando y piando cada vez más asustado.

—Es una pequeña plaza en un jardín —expliqué.

Se veía bien a las claras que él nunca había leído el diccionario.

Más sustos y más chillidos.

—Glorioso —añadí, por si esta palabra le gustaba más.

Tampoco. No hubo forma de charlar con él.

Anduve otro poco y aparecí en la cocina de una casa. ¡Qué bien olía! Una señora con delantal freía unos hermosos filetes.

—Gollería —dije, a modo de saludo.

Y ella contestó: —¡Un gato!

Cierto que gato también empieza con *ge*; pero no me pareció una contestación amable.

—Golosina —continué, mirando los filetes para que se diera cuenta de que me gustaban mucho.

Ella, entonces, tomó una escoba y vino hacia mí.

—¡Fuera! ¡Vete a tu casa!

Luego, me dio un escobazo. No me hizo daño porque sólo me pilló el rabo. Y como tengo tanto pelo, y tan largo, no me hizo daño. Fue como dar un golpe a un almohadón.

De ahí me fui a una azotea donde encontré dos gatos. No precisamente de mi familia —no los hubieran vendido nunca en la tienda elegante donde yo estaba—, pero gatos. Uno era negro, con los bigotes más grandes que he visto en mi vida. Otro, a rayas grises y marrones, se me quedó mirando como si yo fuera algo del otro mundo.

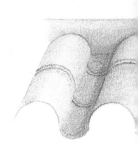

Como ninguno de los dos decía nada, decidí empezar la conversación:

—Gracioso.

El negro miró al rayado y siguieron callados.

—Grafología —continué diciendo—. Granada. Grandullón.

Lo dije en tono simpático y amistoso. Pero ellos movían el rabo y los bigotes sin entender nada.

—Granuja —insistí yo.

No a mala idea, sino porque era la palabra que había aprendido ese mismo día.

El gato negro vino hacia mí y me observó detenidamente. Luego, se volvió hacia su compañero, como invitándolo a hacer lo mismo.

El rayado, ya junto a mí, olió mis orejas y
el lazo que mi ama, contra mi voluntad, insiste
en ponerme.

Por fin dijo:

—Sí, es un gato.

—¿Tú crees? —contestó el otro, desconfiado.

—Soy una gata. Graciosa, gentil, gallarda.

—Bueno —dijo el rayado—. Eres una gata.
Punto.

—¿Y por qué hablas así? —preguntó su
compañero.

—Porque leo el diccionario. Soy una gata
culta.

os dos se echaron a reír.

—Eres una gata cursi —dijo el negro cuando se le terminó la carcajada.

—Y con ese lazo —añadió el rayado— pareces una caja de bombones.

Volvieron a reírse. Yo no sabía si dar un grito exclamando "groseros" o si llamarlos "girondinos". No me acordaba de lo que quería decir, pero también sonaba a insulto.

No hice ninguna de las dos cosas. Me quedé parada, esperando que dejaran de burlarse de mí. Pensé que, a lo mejor, un poco de razón tenían.

El negro debió darse cuenta de que estaba triste porque me dijo:

—¿Te gustaría jugar con nosotros?

—¿A qué? —pregunté, todavía medio enfadada.

—A saltar por los tejados, a meterse por los caños o a robar filetes en esa casa.

Y señaló la ventana por la que yo había salido momentos antes. Estuve a punto de contestar "gustosamente", pero me contuve y dije:

—Bueno.

Y saltamos, y corrimos, y nos mojamos en los caños, y nos sacudimos después al sol, y nos metimos en la casa aquella y nos comimos un filete cada uno. Estaban crujientes, calentitos, deliciosos.

Se estaba haciendo de noche. Mi ama debía estar preocupada por mí y, la verdad, tenía ganas de acostarme.

Quedé con mis nuevos amigos para encontrarnos al día siguiente y volver a jugar. ¡Lo había pasado tan bien!

Mi llegada a casa fue saludada con gritos de alegría y de regaño, todo junto.

—¡Ah, por fin apareció mi gatita querida! ¡Y mira cómo está tu lacito! ¡Perdidito de barro! ¿Verdad que no vas a hacer otra travesurita?

Me quitó el lazo sucio. Cuando intentó ponerme otro limpio, solté un gruñido. Y no porque "gruñido" empiece también con *ge*, sino porque me pareció lo mejor para que me dejara tranquila.

Ahora ya no llevo lazo. Mis amigos me esperan todos los días. Jugamos hasta que se hace de noche. Y si alguna vez me viene a la cabeza la idea de decir alguna palabra rara, me callo y pienso: "Un gato es igual a otro gato, hable como hable".

Preguntas

1. ¿Qué quería hacer Blanquita fuera de la casa?

2. ¿Qué hizo la vecina cuando vio a Blanquita en su cocina?

3. ¿Por qué crees que los otros gatos tenían que acercarse para saber que Blanquita era una gata?

4. Si fueras un gato, ¿te quedarías en casa, o preferirías vivir como Blanquita?

Aplicación de destrezas de lectura

Realidad y fantasía

Escribe estos títulos en tu papel:

Podría suceder

Sólo podría suceder en un cuento fantástico

Luego, escribe cada una de las oraciones siguientes bajo el título correcto.

Doña Guiomar se compró la gata en una tienda de animales.

La gata aprendía palabras leyendo el diccionario.

El canario se asustó cuando vio a la gata.

Los filetes olían muy bien.

El gato negro dijo que la gata era cursi.

Estaba el señor gatito

Estaba el señor gatito,
pirulito,
en un sillón de oro sentado,
pirulado.
Le vinieron las noticias,
pirulicias,
que había de ser casado,
pirulado,
con una gata montesa,
pirulesa,
que tenía cien ducados,
pirulados.

El gato, de tan contento,
pirulento,
cayó del tejado abajo,
pirulajo;
se rompió siete costillas,
pirulillas,
y en siete partes el rabo,
pirulabo.
Queriendo hacer testamento,
pirulento,
llamaron al señor juez,
pirulez,
y también al escribano,
pirulano.

Los ratones muy contentos,
pirulentos,
se visten de colorado,
pirulado.
Las gatas se ponen luto,
piruluto,
los gatos, capote largo,
pirulargo.

Tradicional

23

PAPALOTES, COMETAS, CHIRINGAS Y BARRILETES

En el cuento que acabas de leer, aprendiste que hay muchas palabras interesantes en el diccionario. ¡Y hay mucho que aprender sobre ellas! ¿Sabías, por ejemplo, que algunas cosas tienen más de un nombre? Hay un juguete bonito que vuela mientras lo sujetas con una cuerda. ¿Cómo se llama? En algunos países se llama **cometa.** En México y en Cuba se llama **papalote.** En Puerto Rico su nombre es **chiringa.** En varios lugares de Sudamérica su nombre es **barrilete.**

Todos estos nombres son correctos. La gente de cada país de habla española se expresa de una forma diferente. Estas diferencias hacen más rica la lengua española.

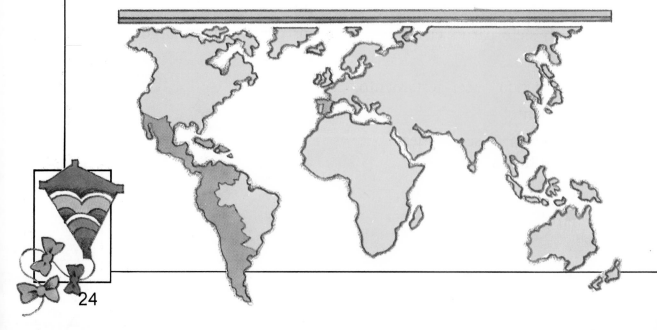

Mira el mapa del mundo. Los países donde se habla español están en verde. Son muchos y, a veces, están muy lejos unos de otros. Por eso es fácil comprender que la lengua cambia.

Cada grupo de estas palabras se refiere a la misma cosa. Escoge el dibujo que va con cada grupo. ¿Conoces otro nombre para alguna de estas cosas? ¿Qué nombre te gusta más?

popote
sorbete
pajilla

perico
loro
cotorra

habichuelas
alubias
frijoles

camión
guagua
autobús

El perro y el bosque frondoso

Dick Gackenbach

En "La gata", Blanquita vio muchas cosas por primera vez. Aunque no sabía lo que eran, trataba de adivinar. Como Blanquita aprendió, muchas veces las cosas no son lo que parecen. En el próximo cuento, los animales del bosque frondoso ven por primera vez algunas cosas de la gente. Solamente un perro sabe para qué sirven. Vamos a ver si el perro ayuda a los demás animales a entender lo que son.

Hace mucho tiempo, durante un paseo por el bosque frondoso, unos animales salvajes encontraron una bota.

—¿Qué es esto? —querían saber. Estos animales jamás habían visto una bota.

—Yo sé lo que es —dijo la osa—. ¡Es una planta! ¡Miren!

La osa les señaló a los otros animales las dos cintas que colgaban a los lados de la bota.

—Y éstas son claramente las raíces —dijo ella.

—Sin duda —confirmó el zorro—. Plantémosla al sol —sugirió—. Quizá un día dé fruto.

La osa, que se creía muy
lista, tomó la bota y se la llevó.

Los animales siguieron paseando por el
bosque hasta que dieron con una tetera mohosa.

—¿Y qué será esto? —se preguntaron
mientras olían el extraño objeto.

—Nosotros lo sabemos —contestaron los
pájaros, que no querían parecer menos listos
que la osa—. Es una especie de nido —dijeron.

—¡Mira! —dijo uno de los pájaros,
picoteando el borde de la tetera—. Por aquí entra
el pájaro.

—Y acá adentro —gorjeó otro pájaro desde
el fondo de la tetera—, está el hueco que protege
los huevos.

—Naturalmente —exclamó el alce—. No creo
que haya un nido tan perfecto como éste.

Los animales comenzaron a andar de nuevo.
Los pájaros volaban sobre el lugar. Llevaban del
asa el nido que habían encontrado.

Después de un rato, encontraron un plato
blanco y rajado.

—¿Y esto qué es? —se preguntaron los
animales unos a otros.

—¡Es la Luna! —dijo la nutria—. Se ha caído del cielo.

—¿Qué otra cosa podría ser? —preguntó el conejo—. Es redonda como la Luna.

—Así es —dijo el zorro—. Y también es blanca como la Luna.

Todos los animales dijeron que sí.

—¡Es la Luna, no cabe duda! —dijeron.

Sabían que necesitarían a la Luna cuando se pusiera el sol. Así que la nutria recogió el plato y lo llevó con ella.

Pronto olieron a otro animal que vivía en el bosque frondoso. Era el perro.

—Oye, perro —gritaron los animales—. Fíjate en todas las cosas que hemos encontrado.

—¡Mira! —dijo la osa que tenía la bota—. Hemos encontrado una planta.

—¡Y un nido! —gritaron los pájaros que llevaban la tetera.

—Y menos mal que encontramos la Luna —dijo la nutria—, porque se había caído del cielo.

Los animales esperaron en silencio.

—Perdonen que les diga esto —dijo el perro—, pero ninguna de esas cosas es lo que ustedes creen.

—¡Bah! ¡Bah! —le gritaron todos.

—Digan lo que quieran —contestó el perro—. Hace algún tiempo, me fui del bosque frondoso. Llegué a un lugar donde vi muchas cosas como éstas. Eso no es la Luna —le dijo el perro a la nutria—. Eso es una cosa para poner la comida. Se llama plato.

—¡Qué disparate! —dijo la nutria—. ¿Quién necesita eso para comer?

31

—Pues es verdad —dijo el perro—. Y eso no es un nido —les dijo a los pájaros—. Eso se usa para calentar el agua. Se llama tetera.

—¡Qué tontería! —dijeron los pájaros—. ¿Quién necesita agua caliente?

—Y eso no es una planta —le dijo el perro a la osa—. ¡Es una bota de hombre!

—¿De hombre? —dijo la osa—. Yo nunca he oído hablar de tal cosa.

—Hombre . . . y mujer —dijo el perro—. Ellos tienen dos patas y pueden caminar, y comer, y hablar, como nosotros. Pero pueden hacer mucho más que nosotros.

—¡Pamplinas! —gruñó la osa—. ¿Cómo pueden "un hombre y una mujer" con sólo dos patas hacer más que yo con cuatro?

—Ya sé que no tienen alas y sólo tienen dos patas —dijo el perro—. Pero, créanme, el hombre puede hacer muchas cosas, como las botas que se pone en los pies.

La mera idea de llevar algo en los pies hizo que los animales se rieran a carcajadas.

—¿Escucharon eso? —dijo el conejo—. ¡Qué perro más tonto!

Los pájaros gorjeaban entre risitas. La nutria se rio tanto que le dio hipo. La osa se aguantaba la barriga. El alce se revolcaba de risa mientras las lágrimas le corrían por las mejillas.

—¡Es verdad! —gritaba el perro—. ¡Dejen de reírse o me iré del bosque para siempre!

—¡Pues, *hip*, vete! —dijo la nutria entre hipo e hipo—. No reconocerías, *hip*, ni tu propio hocico.

Esto los hizo reír aun más.

El perro era muy orgulloso. No le gustaba que se burlaran de él.

—Está bien —les dijo con la cabeza en alto—. Me iré a vivir al lado del hombre. Quizá allí sea bienvenido.

Así fue como el perro decidió irse a vivir junto al hombre. Allí no solamente fue bien recibido sino que además fue querido. Allí comía felizmente en un plato. Se sacaba las pulgas bañándose en el agua caliente de la tetera. Y, cuando nadie lo veía, se ponía a morder las botas que encontraba.

Preguntas

1. ¿Cuáles fueron las tres cosas que encontraron los animales en el bosque?

2. ¿Por qué los animales no sabían lo que eran aquellas cosas?

3. ¿Crees tú que el perro hizo bien en irse a vivir al lado del hombre? ¿Por qué sí o por qué no?

4. Si encontraras algo que jamás hubieras visto, ¿cómo averiguarías lo que es?

Aplicación de destrezas de lectura
Causas de un suceso

Escribe dos oraciones para explicar por qué tuvo lugar cada uno de los sucesos siguientes.

1. Los animales pensaron que la tetera era un nido de pájaros.

2. Los animales pensaron que el plato rajado era la Luna.

3. El perro dijo que el hombre y la mujer podían hacer más que los animales.

PISTAS DEL CONTEXTO

Un modo de buscar el significado de una palabra nueva es leer la oración completa en la que aparece. Las otras palabras de la oración te sirven de pistas. Esto se llama ''deducir el significado de una palabra por el contexto''. El **contexto** son las otras palabras. El significado que deduzcas debe tener sentido en la oración.

ACTIVIDAD Lee los cuentos siguientes. Usa las pistas del contexto para buscar el significado de las palabras subrayadas. Luego, escribe la oración con el significado de la palabra.

El caballo tiraba de la carreta. La carreta iba rodando para California.

1. Una carreta es _____.
   un animal
   un carro
   una planta

El mosquito hacía mucho ruido. Luego, el mosquito me picó. La picazón del mosquito me molestaba.

2. Un mosquito es _____.
   un perro
   un silbido
   un insecto

Francisca estaba muy cansada y <u>bostezó</u>. Estiró los brazos y abrió muchísimo la boca. Cuando <u>bostezó</u> por tercera vez, se acostó.

3. Cuando bostezas, abres la boca porque _____.
   estás enojado
   tienes sueño
   estás feliz

Ana tuvo que <u>castigar</u> a su perro. El perro había ensuciado el sofá. No le gustaba <u>castigar</u> al perro, pero lo dejó fuera de la casa.

4. Cuando te van a castigar es porque _____.
   has hecho algo malo
   has hecho algo bueno
   has hecho feliz a alguien

La loba alimentaba a los <u>lobeznos</u>. Los <u>lobeznos</u> eran demasiado pequeños para cazar. Los <u>lobeznos</u> se quedaban en la cueva.

5. El lobezno es _____.
   el papá lobo
   la casa de los lobos
   el bebé lobo

El
Club de Conversación
Diane Stanley

Cuando Perico Ratón Campestre se mudó a
su nueva casa, Carlitos fue a darle la bienvenida.
Le explicó quiénes eran sus nuevos vecinos y le
habló del Club de Conversación. Perico nunca
había oído hablar de nada parecido, pero al poco
tiempo fue un miembro importante del Club.

—Te invito a entrar en nuestro club. Sé que te va a gustar mucho —dijo Carlitos.

—¿Un club? —preguntó Perico.

Nunca había sido miembro de ningún club. Podría ser divertido, pero no estaba muy seguro.

—Es el Club de Conversación. Nos reunimos los jueves por la tarde. Somos un gran grupo.

Carlitos comenzó a hablar rápidamente.

—Sam, por ejemplo, lo sabe todo acerca de comida. China, francesa, la que quieras. Lola es nuestra experta en cosas del espacio. Te dirá todo sobre los planetas y las estrellas. Perla cuenta cuentos de fantasmas.

Carlitos se volvió y miró hacia fuera.

—Yo soy el experto en jardinería. Por ejemplo, ahora te podría decir que ya deberías haber plantado tus bulbos para la primavera.

—Nancy habla de deportes. Ahora el tema es el fútbol, en primavera el béisbol, etc. ¿Cuál es tu tema?

—Creo que no tengo ninguno —dijo Perico.

—¡Imposible! ¡Por supuesto que tienes un tema! —exclamó Carlitos.

—Discúlpame, está hirviendo el agua del té —dijo Perico, volviendo a la cocina.

Perico sacó dos tazas y añadió el té al agua hirviendo. Luego, lo echó en las tazas.

—¿No podría escuchar solamente? —dijo Perico.

Carlitos daba vueltas a la idea en su cabeza.

—¡Estupenda idea! —dijo por fin—. Puedes escuchar lo que dicen los otros. Eso me gusta mucho, es muy original.

—Gracias —dijo Perico tímidamente.

—Entonces, de acuerdo. La próxima reunión es el jueves en mi casa. Pregúntale a cualquiera cómo llegar. Bueno, ahora me voy: aún me quedan cosas que hacer y lugares que visitar.

Perico fue el último en llegar a casa de Carlitos el jueves. Mientras se quitaba el abrigo y la bufanda, vio que todos se preparaban para el comienzo de la reunión.

—Hola, Perico —dijo Carlitos—. Oigan todos, éste es Perico. Él nos va a escuchar.

—Bienvenido, bienvenido —dijo otro miembro del Club que llevaba una camiseta azul de fútbol.

—Tú debes ser Nancy —dijo Perico.

—¡Ya ven! —gritó Carlitos—. ¿No les dije que nos iba a escuchar?

Por fin, Carlitos golpeó sobre la mesa.

—¿Estamos listos? —preguntó.

Todos dijeron que sí.

—Entonces empecemos.

La conversación comenzó muy suavemente. A medida que aumentaba el volumen, Perico no podía creer lo que oía. ¡Todos hablaban al mismo tiempo!

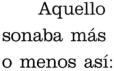
Aquello
sonaba más
o menos así:

—En el primer partido se añade perejil y se revuelven los tulipanes que parecen un grito de nuestro sistema solar para el primer período mézclense los ajos y los narcisos, pero las rosas tienen más aroma y pueden volar a la casa encantada de Júpiter y su zona sazonada con sal y pimienta al gusto.

Cuando ya no pudo aguantar más, Perico corrió hacia la puerta. La abrió y salió como un cohete hacia la tarde fría, clara y tranquila.

Los conversadores se callaron de pronto. Salieron rápidamente de la casa muy asombrados.

—¿Adónde vas? ¿Qué te pasa? —exclamaron todos—. ¡Regresa!

—No puedo —dijo Perico, deteniéndose—. Me da dolor de cabeza. ¡Todos hablan al mismo tiempo!

—Pero es que todos tenemos cosas muy interesantes que decir —dijo Nancy.

Perico los miró a todos, suspiró y dijo:

—Sí, estoy seguro de que así es. Pero no puedo ser miembro de este club porque yo ya tengo el mío.

42

—¿Qué club es ése? ¿Quiénes son los miembros? ¿Puedo ingresar yo? —preguntaron todos.

—Es un club para escuchar; nadie habla y yo soy el único miembro.

Perico empezó a caminar hacia su casa, y se anudó la bufanda al cuello.

—¡Espera, espera! ¿No podemos ser miembros? Por favor, ¿podemos ir a tu casa la próxima semana? ¡Qué emocionante, otro club! —dijeron todos a la vez.

—Bueno, está bien. Pero tienen que respetar las reglas. Nada de hablar.

Y desapareció en el camino.

Perla lo vio alejarse. —¿Saben qué pienso? —preguntó—. A mí también me da dolor de cabeza nuestra conversación.

El jueves siguiente, nevó durante toda la mañana. La nieve caía sobre las pocas hojas secas que aún quedaban en los árboles. Hacía un ruido de sonaja. En la calma de su casa, Perico preparó el té. La habitación olía a panecillos recién salidos del horno.

Todos llegaron a la vez, junto a un viento frío. Todos hablaban alegremente mientras colgaban sus abrigos, sombreros y bufandas. Perico sirvió el té y los panecillos. Los miembros del Club se fueron sentando cerca del fuego de la chimenea.

Volvió a sentirse un calorcillo en la sala. Se oía a todos beber y tragar.

—¿Lo estamos haciendo bien? —preguntó por fin Sam.

—Perfectamente —dijo Perico.

Tranquilamente, Carlitos dijo: —No puedo dejar de pensar en los bulbos que planté. Los planté en el prado y no alrededor de la casa. En primavera, cuando aún haya nieve, habrá tulipanes amarillos y morados.

—¡Qué bonito! —exclamó Perico, mientras lo imaginaba.

—¡Shhh! —dijo Nancy.

—¡Silencio! —dijo Sam.

Todos tomaron más té. El viento fuerte daba contra la casa.

—La Gran Mancha Roja de Júpiter es en realidad una tormenta gigantesca que gira en círculo —dijo Lola de pronto—. ¿Lo sabían? Tiene treinta mil millas de largo y hace más de trescientos años que esta ahí.

—¡Qué cosa! —dijo Perico—. ¡Trescientos años!

El viento aullaba en la chimenea y las ventanas crujían. Pero al lado del fuego se estaba bien.

"Mi casa es agradable cuando hay amigos" pensó Perico. *Crric, crrac, crric, crrac* golpeó una rama contra la ventana.

—¡Es el ambiente ideal para el cuento de fantasmas que escribí anoche! —dijo Perla.

—Pues no puedes contarlo —dijo Lola.

—Ya lo sé, pero no puedo dejar de pensar . . .

—Esto es un club para escuchar, no para pensar —dijo Nancy.

—Éste es mi club —dijo Perico—, y acabo de cambiar las reglas. Perla nos contará su cuento y todos escucharemos. Sólo uno de nosotros puede hablar a la vez. Ésa es la nueva regla.

De este modo, mientras afuera volaba la nieve y aullaba el viento, los amigos escucharon el cuento de Perla. Fue el mejor cuento que jamás habían oído.

Preguntas

1. ¿Qué quería hacer Perico si entraba al Club de Conversación?

2. ¿Cuál era el problema del Club de Conversación?

3. ¿Crees tú que los amigos mantendrán el Club de Escuchar? ¿Por qué sí o por qué no?

4. Si estuvieras en un Club de Conversación, ¿de qué tema hablarías?

Aplicación de destrezas de lectura
Realidad y fantasía

Escribe estos títulos en tu papel:

Podría suceder

Sólo podría suceder en un cuento fantástico

Luego, escribe cada una de las oraciones siguientes bajo el título correcto.

Un ratón campestre se mudó a una casa nueva.

Perico Ratón Campestre se hizo miembro de un club de conversación.

La niña del club era experta en escuchar.

Los niños escuchaban a la maestra.

Los animales colgaron los abrigos y las bufandas.

Trabalenguas

48

Me han dicho que has dicho un dicho;
un dicho que he dicho yo.
Y ese dicho que te han dicho que yo he dicho,
no lo he dicho, mas si yo lo hubiera dicho,
estaría muy bien dicho por haberlo dicho yo.

Tradicional

PÁRRAFO DE RESUMEN

Antes de escribir

En "El Club de Conversación" aprendiste lo importante que es escuchar. Piensa en las muchas formas en que has usado el oído hoy.

Imagínate que eres miembro del Club de Conversación. Esta semana te toca presentar un tema. Hablarás sobre la importancia de escuchar. Para empezar la reunión, leerás un párrafo corto sobre el tema. Este primer párrafo explicará cómo usaste el oído durante un día.

Para recoger la información de tu párrafo, apunta todo lo que escuches en un día. En los apuntes que tomes, escribe las diferentes formas en que usaste el oído. Aquí tienes unos apuntes como ejemplo:

DIARIO DE LO QUE ESCUCHO - _____(Fecha)_____

7:00 A.M. Me despertó la radio del despertador. Oí al hombre del tiempo y la lluvia contra la ventana.

9:00 A.M. Leímos una obra de teatro en la clase; tuve que escuchar para saber cuándo llegaba mi turno.

4:00 P.M. El maestro de baile explicó los pasos.

7:30 P.M. Hablé con papá sobre mis tareas de matemáticas.

Recuerda apuntar todas las formas en que usaste el oído durante todo el día, desde la mañana hasta la noche.

Escribir

Vas a escribir un resumen. No podrás usar toda la información de tus apuntes. Sólo pondrás las ideas más importantes. Aquí tienes un modelo para escribir tu resumen.

1. Escribe una oración con la idea principal.
2. Pon las cosas que escuchaste por la mañana, por la tarde y por la noche.
3. Escribe oraciones sobre uno o dos ejemplos de tus apuntes para cada parte del día.
4. Trata de usar las Riquezas de Vocabulario.
5. Ahora, escribe la primera versión de tu párrafo.

RIQUEZAS DE VOCABULARIO	
sorprendido	diario
actividades	tema

Revisar

Lee tu párrafo. Pídele a un amigo que también lo lea. Piensa en lo siguiente mientras lo revisas.

1. ¿Sabrán los que escuchan cuál es la idea principal?
2. ¿Diste ejemplos interesantes de tus apuntes?
3. ¿Empiezan todas las oraciones igual? ¿Cómo podrías cambiarlas?
4. Mira la puntuación. ¿Es correcta?
5. Ahora, vuelve a escribir tu párrafo. Luego, se lo vas a leer a los otros estudiantes.

Miren cómo somos por dentro

Argentina Palacios

Hasta ahora, todos los personajes que hemos conocido han sido personajes inventados. Algunos, como los animales del bosque frondoso, aprendieron que las cosas a veces no son lo que parecen. En el relato que sigue, vamos a conocer a un grupo de chicos de la vida real. En cierto modo, son muy especiales. Pero en otro sentido, son como todos los chicos.

Juan Ruiz, Luis Cruz, Jessica Mercado, Erica Beasley y Marilyn Rivera van a la escuela todos los días, como tú y todos tus amigos. Van a clases de música, arte, matemáticas, ciencias, estudios sociales, gimnasia, mecanografía, lectura. Es lo normal, ¿no?

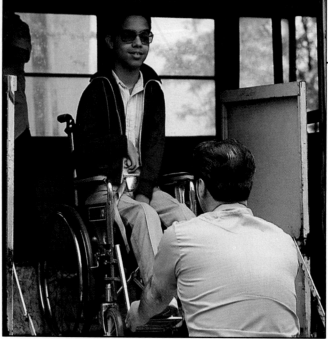

Sí, es lo normal. Pero estos alumnos y sus compañeros de clases son, además, muy especiales. Todos tienen algún problema físico. No pueden moverse tan fácilmente como los otros chicos de su edad. Necesitan que alguien los ayude a ponerse el abrigo, a cortar su comida o a empujar la silla de ruedas. Los ayudan sus maestros o sus mismos compañeros de clases.

Por lo demás, son estudiantes como todos los otros. Saben, por ejemplo, que Beethoven era un gran compositor de música clásica. También saben que se quedó totalmente sordo en los últimos años de su vida, pero siguió componiendo música. Cuando una orquesta tocaba su bella música, la gente aplaudía entusiasmada. Alguien tenía que darle vuelta para que pudiera ver el entusiasmo del público.

Estos chicos hacen objetos de cerámica como floreros, vasos y tazones. Tallan objetos de madera que pueden utilizar o regalar.

Cuando sucede alguna catástrofe en el mundo, los estudiantes especiales ponen manos a la obra inmediatamente. Después de unas enormes inundaciones en Puerto Rico y una horrorosa erupción volcánica en Colombia, juntaron ropa y alimentos. Los empacaron y, con la ayuda de sus maestros, los llevaron al puerto. Desde allí los mandaron a Puerto Rico y a Colombia.

Estos estudiantes están en un programa especial para estudiantes con impedimentos físicos. El programa se desarrolla en la Escuela Intermedia 192 del Bronx, en la ciudad de Nueva York. A esta escuela también van estudiantes sin impedimentos físicos.

A los impedidos les gustaría que la gente se fijara menos en su aspecto físico y más en lo que son como personas.

A Juan Ruiz, por ejemplo, no le gusta mucho estar en el programa especial. Dice: —Por una parte es bueno, pero por otra no. Cuando uno está en un programa especial, los otros estudiantes de la escuela creen que uno es menos inteligente. Todo el mundo se fija en uno por fuera, sin mirar cómo es uno por dentro.

Juan nació con parálisis cerebral y camina con muletas. De todas las materias que estudia, prefiere las ciencias. Le gusta mucho leer. En casa le gusta usar su VCR para grabar programas de televisión. También conversa con los amigos que lo visitan. A veces, éstos se quedan a pasar la noche.

Luis Cruz también cree que a los impedidos los miran y los tratan a veces de manera diferente. Cree que no debe ser así. Tiene las manos y los pies torcidos de nacimiento. Pero puede hacer cortos recorridos a pie. Como sus manos no tienen fuerza para agarrar la pluma, escribe sujetándola con los dientes. Y con un palito, también entre los dientes, toca un órgano de mesa y escribe a máquina. ¿Qué le gusta más de todo lo que estudia? La mecanografía. ¿Qué le gustaría hacer cuando sea mayor? Trabajar con computadoras.

Luis es un muchacho con mucho carácter y voluntad. Los médicos dijeron que nunca podría andar y ahora camina. Lo más seguro es que también logre trabajar con computadoras.

Jessica Mercado es una chica alegre con muchas amistades en la escuela y fuera de ella. Lleva soportes en las piernas porque nació con un problema en la columna. Este problema le ha dejado los músculos de las piernas muy duros. Antes usaba muletas, pero ya no las necesita. Le gusta mucho jugar a las damas chinas en su casa. También le gusta saltar la cuerda en la clase de gimnasia. Quiere ser maestra cuando sea mayor. Su clase favorita es la de matemáticas. Pero tiene muy buenas notas en todas las materias.

A Erica Beasley le encanta el programa de
educación especial. Dice que los maestros los
tratan muy bien. Su clase favorita es la de
matemáticas. Está muy interesada en trabajar
con computadoras cuando sea mayor. Tiene
muchas amigas y una vida muy activa. Participa
en todos los programas de la escuela. Además, a
pesar de la parálisis cerebral y las muletas, los
sábados viaja a Manhattan a un programa
especial de la Asociación de Filosofía de Nueva
York (New York Philosophical League). Tiene
dos hermanas mayores y varias sobrinas. ¿Y
sabes cuál es una de sus actividades favoritas?
Cuidar a su sobrinita de diez meses.

Marilyn Rivera tiene artritis reumática desde los dos años de edad. Va de un lugar a otro en una silla de ruedas. Siempre está sonriente y de buen humor. Marilyn tiene muchas amigas que la visitan. A veces, hablan con ella por teléfono. Hace sus tareas tan bien que en la escuela pasó del cuarto grado al sexto en un solo año. Le encantan las clases de ciencias y estudios sociales. La experiencia le ha demostrado que puede llegar a ser lo que quiera.

—En el hospital donde me atienden —dice— hay un médico ciego, ciego, no ve nada. Y atiende a la gente de lo más bien.

Sin embargo, Marilyn no ha decidido aún si quiere ser enfermera o actriz.

Lo único que no le gusta es que en muchos lugares públicos no haya rampas o ascensores para sillas de ruedas. Esto quiere decir que los impedidos no tienen acceso a muchos lugares. Por eso, Marilyn no ha podido ir a los conciertos del grupo musical *Menudo*.

Un gran amigo de los estudiantes especiales de la Escuela Intermedia 192 tiene la misma opinión sobre el acceso a los lugares públicos. Es el famoso violinista Itzhak Perlman. Éste usa muletas por un impedimento físico en las piernas. Algunos dicen que toca el violín como un ángel.

El Sr. Perlman los conoce a través de la maestra Adine Usher. Ella, además de ser maestra, es pianista. Empezó un programa de música para sus estudiantes con impedimentos físicos hace diez años. El programa comenzó en Manhattan, en una escuela primaria muy cerca de la casa de la familia Perlman. El violinista fue a una de las presentaciones de los chicos. Después de esa visita, tocó un concierto en la escuela. Una vez los llevó a participar en el programa de TV *20/20*.

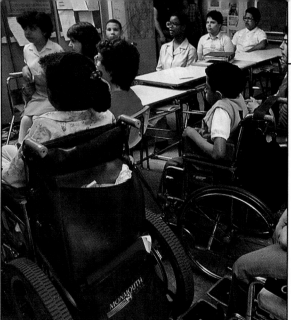

El programa de música empezó en Manhattan y ahora continúa en el Bronx. Pero no es solamente para los chicos del vecindario de la escuela. Los estudiantes tienen un grupo que toca instrumentos y un coro. De vez en cuando, visitan distintos lugares para dar conciertos. Le han cantado al alcalde de la ciudad. También han cantado en muchos asilos de ancianos y en el edificio del periódico *Daily News*. Al ver las caras del público, sabemos que su mensaje de amistad y alegría ha sido muy bien recibido.

La reacción de la gente parece mostrar otra cosa: estos chicos pueden hacer las mismas cosas que hacen los demás a pesar de sus problemas físicos. Por eso, hay que fijarse siempre en cómo son los impedidos por dentro.

Preguntas

1. ¿Qué saben los chicos del relato sobre el compositor Beethoven?

2. ¿Dónde empezó el programa de música para estudiantes con impedimentos físicos?

3. ¿Cómo crees que el acceso a lugares públicos con rampas o ascensores ayudaría a la gente con impedimentos físicos?

4. ¿Por qué es importante que las personas con impedimentos físicos tengan las mismas oportunidades que los demás?

Aplicación de destrezas de lectura
Recordar detalles

Piensa en "Miren cómo somos por dentro". Trata de recordar algunos de los detalles importantes del relato. Usa oraciones completas para contestar estas preguntas.

1. ¿Qué compositor famoso se quedó sordo?

2. ¿Qué hacen los estudiantes especiales cuando hay una catástrofe en alguna parte del mundo?

3. ¿En qué programa de TV participaron los estudiantes especiales?

4. ¿Qué instrumento toca Itzhak Perlman?

La cotorra que no quería decir "Cataño"

Pura Belpré

Las cotorras son animales extraños. En cierta forma, pueden hablar como nosotros. Son capaces de repetir palabras, pero no las entienden. Como verán, el hombre de este cuento popular tiene un problema para comunicarse con su compañera: una cotorra.

En Puerto Rico, al otro lado de la bahía de San Juan, está el pueblo de Cataño. Hace mucho tiempo vivía allí un marinero retirado que se llamaba Yuba. Su única compañía era una cotorra: un pájaro hermoso y hablador que era famoso en todo el pueblo. Pero a pesar de lo que hablaba, había una cosa que la cotorra se negaba a decir: el nombre del pueblo. Por mucho que Yuba tratara, ella no lo decía. Esto ponía triste a Yuba, porque quería mucho a su pueblo.

—Eres un pájaro desagradecido —le decía Yuba a la cotorra—. Repites todo lo que oyes, y te niegas a decir el nombre del pueblo donde has vivido casi toda tu vida.

Pero lo único que la cotorra hacía era pestañear y hablar de otras cosas.

Un día, Yuba estaba sentado en el balcón con la cotorra. Por allí pasó nada menos que don Casimiro. Él era el rico criador de aves de San Juan. Se detuvo a escuchar. Nunca había oído una cotorra como aquélla. ¡Qué magnífico sería tener aquella cotorra entre sus pájaros! Cuanto más la escuchaba, más la quería.

Por fin habló: —¿Por qué no me vende usted esa cotorra? Le pagaría un buen dinero por ella.

—No, señor. Ni el oro ni la plata pueden comprarla —respondió Yuba.

Don Casimiro estaba sorprendido. Aquel hombre parecía necesitar dinero. —¿La cambiaría por otra cosa, buen hombre? —preguntó.

—Por nada. Pero haré un trato con usted —contestó Yuba.

—¿Un trato? ¿Qué clase de trato? —quiso saber don Casimiro.

—Yo he tratado de enseñarle a decir 'Cataño', pero por alguna razón no quiere decirlo. Pues bien, usted se la lleva. Si logra que lo diga, se queda con ella. Le estaré muy agradecido. Si usted falla, me la devuelve.

—De acuerdo —dijo don Casimiro, encantado.

Tomó la cotorra, le dio las gracias a Yuba y se fue.

Esa tarde, don Casimiro regresó a su casa. Se sentó en el pasillo frente a un patio lleno de plantas y aves exóticas.

—Ahora —le dijo a la cotorra—, repite: 'Ca-ta-ño'.

Tuvo mucho cuidado en decir las sílabas bien claras y bien despacio. La cotorra agitó las alas, pero no dijo ni una palabra.

—Vamos —insistió don Casimiro—. Di *Ca-ta-ño*.

El pájaro guiñó un ojo, pero no dijo ni una palabra.

—Pero si tú puedes decir lo que quieras. Yo te he oído hablar. Trataremos otra vez. *Ca-ta-ño*.

Don Casimiro esperó, pero la cotorra se fue a pasear por el pasillo como si no lo hubiera escuchado.

Sepan que don Casimiro era un hombre de mucho dinero, pero de poca paciencia. Tenía un temperamento tan fuerte como los ajíes picantes que cultivaba en su huerto. Siguió a la cotorra, que estaba junto a una maceta, al final del pasillo. La agarró.

—¡Ya está bien! ¡Di *CA-TA-ÑO*! —gritó.

La cotorra volvió a guiñar un ojo, y se le fue de las manos. Pero don Casimiro la atrapó de nuevo y la apretó.

—¡Di *Ca-ta-ño*, o te tiro por la ventana!

La cotorra no dijo ni una palabra.

Muy enfadado, don Casimiro la tiró por la ventana. La cotorra fue a parar al gallinero.

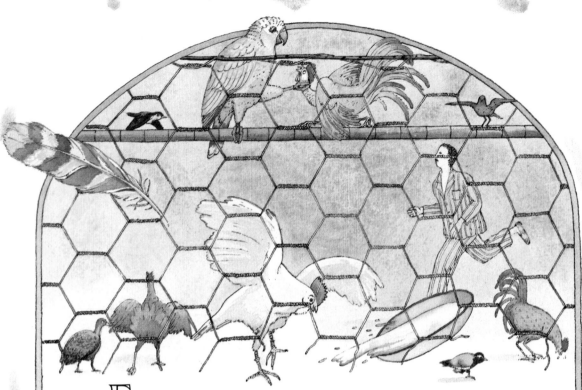

Esa noche, se escuchó un ruido extraño que venía del patio. Don Casimiro se levantó de un brinco.

—¡Ladrones! —exclamó.

Creía que le querían robar los pájaros. Salió corriendo de la casa y se fue al gallinero. ¡Qué lío! Las plumas de gallina volaban por todas partes. Los cubos de agua y comida estaban derramados. Las gallinas cacareaban y corrían de un lado a otro.

De pronto, desde el fondo del gallinero se escuchó una voz que decía: —¡Di *Ca-ta-ño*, o te tiro por la ventana!

Allí sentadita en un madero, estaba la cotorra. Tenía agarrada una de las aves más queridas de don Casimiro. Éste corrió y arrancó la cotorra de allí.

Antes de que saliera el sol, don Casimiro estaba montado en la lancha. Iba camino a casa de Yuba. La cotorra iba sentada en su rodilla, como si nada hubiera pasado la noche anterior. Cuando llegaron, Yuba estaba sentado en su balcón.

—Así que Ud. también falló —dijo Yuba con tristeza.

—¡No, no, qué va! —replicó don Casimiro— Ahora sí que dice 'Cataño'. Pero olvídese del trato. Aquí se la devuelvo.

Yuba no entendía lo que pasaba.

Don Casimiro, al ver la confusión de Yuba, añadió rápidamente: —Es que para decir 'Cataño' me armó un tremendo lío en el gallinero.

La cara de Yuba se llenó de alegría. Tomó a la cotorra y la abrazó. Don Casimiro se apresuró calle abajo hacia el muelle de las lanchas.

—Anda, dime *Ca-ta-ño* —le dijo Yuba a la cotorra.

—Cataño, Cataño —respondió la cotorra.

Y desde aquel día nadie fue más feliz en todo Cataño que Yuba, el marinero retirado.

Preguntas

1. ¿Qué trato hizo Yuba con don Casimiro?

2. ¿Por qué crees tú que la cotorra armó un lío en el gallinero de don Casimiro?

3. ¿Crees que Yuba volverá a hacer más tratos con su cotorra?

4. Si tuvieras un animal, ¿qué le enseñarías? ¿Cómo lo harías?

Aplicación de destrezas de lectura
Recordar detalles

Piensa en "La cotorra que no quería decir 'Cataño'". Trata de recordar algunos de los detalles importantes del cuento. Usa oraciones completas para contestar estas preguntas.

1. ¿Dónde está el pueblo de Cataño?

2. ¿Qué trabajo hacía don Casimiro?

3. ¿Qué cultivaba don Casimiro en su huerto?

4. ¿Dónde fue a parar la cotorra cuando don Casimiro la tiró por la ventana?

Pura Belpré

"Tengo una gran imaginación y una memoria fotográfica que conserva todas las experiencias que me impresionaron en la niñez".

Pura Belpré nació y creció en Puerto Rico. En la escuela le gustaba mucho leer y lo hacía tanto en inglés como en español. Cuando terminó los estudios fue a Estados Unidos. Allí su interés por la cultura hispana y por los niños creció aun más. Fue la primera bibliotecaria bilingüe de libros para niños en la ciudad de Nueva York.

En la biblioteca, Pura Belpré empezó a contar cuentos y a representarlos con títeres. Quería contarles a los niños los cuentos que ella había oído de niña en Puerto Rico. Así nació su primer cuento *Pérez y Martina*. El cuento describe los amores de un ratoncito muy guapo con una bella cucaracha española. Sus dos obras más conocidas en español son *Pérez y Martina* y *Oté: Un cuento folklórico*.

COTORREO

El loro de verde plumaje
es todo un personaje,
lleva un hermoso traje
que no es de rey, es de paje.

Por la selva va de viaje.
Se mete por el follaje
y . . . ¡tiene que dar un viraje!
Pierde todo su equipaje,
voltea y dice: ¡Qué coraje!

Anónimo

75

SEGUIR INSTRUCCIONES

Cuando aprendes a hacer algo por primera vez, necesitas seguir instrucciones. Tienes que leer todas las instrucciones antes de empezar. Luego, debes seguir todos los pasos en orden. Asegúrate de no olvidarte de ningún paso.

ACTIVIDAD A Lee el cuento. Luego, sigue las instrucciones.

Cuando le enseñas a un animal a hacer algo, debes mostrarle muchísimas veces lo que quieres que haga. Enseñarle a hablar a una cotorra no es fácil. Tienes que hacer que te mire y te escuche. Luego, tienes que decir la misma cosa muchas veces, y darle un premio a la cotorra cuando por fin repita lo que dices.

1. Escribe una lista de tres palabras que te gustaría enseñarle a decir a una cotorra.
2. Repite veinte veces cada palabra de la lista.
3. Haz un dibujo en que la cotorra diga lo primero de tu lista. Haz que parezca que las palabras salen de la boca de la cotorra.

ACTIVIDAD B Los científicos estudian a los animales para entender cómo son y por qué hacen ciertas cosas. Cuando un científico quiere saber algo sobre un animal,

76

debe estudiar al animal durante muchos días. A veces, los estudiantes ayudan a los científicos. Los estudiantes deben seguir las instrucciones de los científicos. Deben apuntar todo lo que hacen los animales.

Imagínate que eres un científico y que quieres saber a qué hora comen los animales. Sigue las instrucciones siguientes.

1. Elige un animal que hayas visto muchas veces. Podría ser un animal de la casa o un animal que conozcas, como una ardilla o una paloma. Escribe el nombre del animal.
2. Luego, haz una tabla con las horas del día.
3. Ahora, imagina que estás viendo el animal y todo lo que come. Cada vez que el animal come, marca la hora en tu tabla. Si sabes qué tipo de comida come, escribe el nombre de la comida.

Tu tabla se parecerá a ésta:

Horas de las comidas del animal		
6:00 A.M.		9:00 A.M.
7:00 A.M.	✔grano	10:00 A.M.
8:00 A.M.		11:00 A.M.

¿QUÉ DICE ESE COCODRILO?

Ruth Belov Gross

Excepto en los cuentos y las fábulas, los animales no hablan como la gente, pero tienen maneras de decirse cosas. En este artículo, aprenderán cómo se comunican algunos animales.

Muchos animales recién nacidos no pueden cuidarse solos. Necesitan que sus padres les den de comer y los protejan.

Estos animalitos tienen formas especiales de decir a sus padres que tienen hambre o están en apuros. Los padres también tienen maneras de decir a sus bebés cuando hay peligro.

Los cocodrilos se comunican con sus mamás dando gruñidos. Cuando la mamá cocodrilo oye que su bebé gruñe *onf*, *onf*, *onf*, corre a ver qué le pasa.

La primera vez que la mamá cocodrilo oye a sus bebés, no los puede ver. Los gruñiditos salen del fondo de un montón de lodo y hojas secas. Fue allí donde la mamá cocodrilo puso sus huevos varias semanas antes.

La mamá cocodrilo va al montón de hojas y lo escarba con su largo hocico. Allí, bajo las hojas, están sus bebés. Los ayuda a salir del nido.

La mamá gallina se queda con sus pollitos casi todo el tiempo. Los calienta con sus plumas y los ayuda a encontrar comida. También los protege de otros animales.

¿Qué hacen los pollitos y la mamá gallina para no perderse? Se "hablan".

Cuando la mamá gallina hace *cloc*, *cloc*, *cloc*, los pollitos corren a su lado. Cuando los pollitos dicen *pío*, *pío*, *pío*, la mamá gallina va a verlos.

Antes, los científicos no sabían por qué la mamá gallina iba junto a sus pollitos. ¿Se acercaba a ellos porque los veía, o porque los oía?

Un día, un científico hizo un experimento. Puso a un pollito debajo de una gran campana de vidrio. La mamá gallina podía ver a su pollito, pero no podía oírlo. Nadie podía oír al pollito desde fuera de la campana.

El pollito hacía *pío*, *pío*, *pío*, pero la mamá gallina pasaba sin hacerle caso.

Luego, el científico puso al pollito detrás de una cerca de madera. La mamá no podía ver al pollito detrás de la cerca, pero sí podía oírlo.

El pollito hizo *pío*, *pío*, *pío*. La mamá lo oyó y se fue derechita a la cerca.

El experimento demostró que la mamá
gallina iba adonde estaban sus pollitos porque
los oía.

Los animales no pueden decir —¡Cuidado!—
como nosotros. Tienen sus propias maneras de
hablar cuando hay peligro.

El castor utiliza su cola para decir
—¡Cuidado!—. La levanta por encima de su lomo.
Luego, da fuertes coletazos en el agua de la
charca.

Los golpes de la cola se oyen desde muy
lejos. Dicen a los demás castores que hay un
enemigo cerca.

Cuando los demás castores oyen los
coletazos, se meten en la charca. Pero antes,
ellos también dan fuertes coletazos en el agua.

¡Plaf! ¡Plaf! De este modo los castores dan
la alarma.

Los cuervos son pájaros muy ruidosos.
Dicen *croac*, *croac*, *croac* y hacen muchos
otros sonidos.

Hubert y Mable Frings son dos científicos
que estudiaron el lenguaje de los cuervos.
Querían descubrir cómo los cuervos se dicen:
—¡Cuidado, hay peligro! ¡Vete volando!—. Para
hacerlo, colocaron micrófonos ocultos cerca de
un grupo de cuervos. Luego, los conectaron a
una grabadora.

Al cabo de un tiempo, el Dr. y la Sra.
Frings habían grabado los diferentes sonidos
que hacían los cuervos. Después, con un altavoz,
les hicieron escuchar a los cuervos esos sonidos.

Les pusieron a los cuervos el primer sonido y no pasó nada. Les pusieron el segundo, y tampoco pasó nada.

Entonces, les pusieron un tercer sonido. Cuando los cuervos lo oyeron vinieron volando de todas partes.

Probaron con un cuarto sonido y esta vez ¡todos los cuervos se fueron volando! Cada vez que oían ese sonido, los cuervos se iban.

Así, el Dr. y la Sra. Frings descubrieron que ese sonido significaba —¡Cuidado, váyanse!— y lo llamaron "el grito de alarma".

También descubrieron el sonido que reunía a los cuervos. A ese sonido lo llamaron "el grito de reunión".

Las hormigas tienen dos antenas en la cabeza. Con esas antenas "sienten" y huelen las cosas.

Las hormigas se comunican entre sí con esas antenas.

A veces, una hormiga encuentra un trozo de comida que es demasiado grande para transportar. La hormiga se alegra y vuelve rápidamente a su hormiguero.

Por el camino, se detiene muchas veces. Frota su cuerpo contra el suelo. Al hacerlo, va dejando gotitas de un líquido muy oloroso.

Cuando la hormiga llega al hormiguero, las demás hormigas siguen con sus antenas esas gotitas. Las llevan hasta donde está la comida.

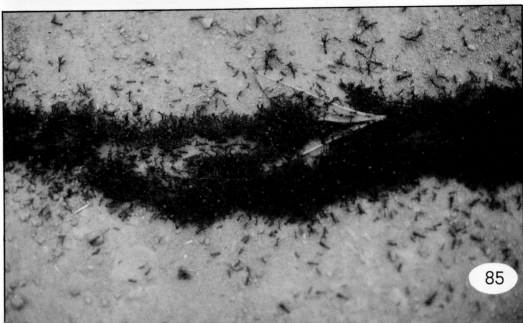

Otros animales también tienen formas de decir a los demás dónde hay comida. Las moscas dejan un olor especial en la comida que tocan. Ese olor ayuda a las otras moscas a encontrarla.

Una vez alguien hizo este experimento: primero, fue a un lugar donde había moscas. Puso un poco de azúcar donde las moscas pudieran encontrarla, y esperó. Después de un largo rato, una mosca encontró el azúcar y poco después vinieron muchas otras.

¿Por qué vinieron las demás moscas? ¿Olieron el azúcar? No, el azúcar no tiene olor.

Vinieron porque sintieron el olor que la primera mosca había dejado en el azúcar. Cada mosca dejó su olor en el azúcar.

Éstas son sólo algunas de las maneras que usan los animales para comunicarse. Si Uds. escuchan y observan a los animales, pueden aprender muchas cosas de sus sistemas de comunicación. ¡Tal vez descubran algo que todavía nadie sabe!

Preguntas

1. ¿Qué hacen la mamá cocodrilo y la mamá gallina para encontrar a sus bebés?

2. ¿Por qué Hubert y Mable Frings les pusieron a los cuervos los sonidos que habían grabado?

3. ¿Qué animal tiene el mejor sistema para decir a los demás que hay comida, la hormiga o la mosca? ¿Por qué?

4. ¿Qué experimento podrías hacer para descubrir cómo se comunican los perros o los gatos?

Aplicación de destrezas de lectura
Recordar detalles

Piensa en "¿Qué dice ese cocodrilo?". Trata de recordar algunos de los detalles importantes del cuento. Usa oraciones completas para contestar estas preguntas.

1. ¿Cómo se comunican los cocodrilos bebés con sus mamás?

2. ¿Dónde pone los huevos la mamá cocodrilo?

3. ¿Qué hace el castor para decir a los otros castores que hay algún peligro?

4. ¿De qué dos maneras encuentran comida las hormigas?

El código en el buzón

Kathy Kennedy Tapp

A veces, la gente usa lenguajes secretos, o códigos, para comunicarse. Eso es lo que hace Tad, el niño de este cuento. Así juega a los detectives con su amigo. Un día, en lugar de jugar a los detectives, Tad tiene que ayudar a un vecino con un problema especial. Nunca se había imaginado que descubriría una nueva forma de enviar mensajes secretos. Veamos qué clase de código pone Tad en el buzón de su vecino.

—No quiero ir —dijo Tad por tercera vez.

Su madre le dijo con las manos en la cintura: —¡Qué vergüenza, Tad! El Sr. James es ciego. Hay que ayudarlo a mudarse. Le dije que irías.

—Mamá, es tiempo de Pascua; estoy de vacaciones. Iba a ver a Perry. Habíamos hecho planes.

—Más historias de detectives, supongo.

Michelle, que hacía un agujero en un huevo con una aguja, levantó la cabeza: —Huellas digitales . . . códigos secretos.

Tad la miró enojado: —Tú te ocupas de las decoraciones para Pascua, ¿de acuerdo?

—Los códigos están bien —dijo mamá—.

Pero no te quiero ver otra vez usando el buzón de enfrente para tus mensajes. Ahora es del Sr. James.

—Ya lo sé —dijo Tad.

—Y el Sr. James necesita ayuda para desempacar sus cosas. Vete, rápido. Dejaremos la decoración de los huevos de Pascua para cuando vuelvas.

Ya no podría estudiar el nuevo libro de códigos con Perry. Tad pateó una piedra. Pasó rodando por el bonito buzón plateado. El buzón tenía la bandera de aviso que Perry y él siempre levantaban. Eso indicaba que habían dejado un mensaje secreto.

Una voz baja contestó a la llamada de Tad.

—¿Eres Tad?

—Sí.

—Adelante. Cuidado con las cajas.

El cuarto estaba oscuro y tenía las cortinas cerradas. Las cajas cubrían las paredes. Tad se quedó cerca de la puerta. Trataba de no pensar en sus nervios. Siempre se ponía nervioso cuando estaba con una persona ciega.

—Comencemos por aquí —dijo el Sr. James, caminando hacia la pared con un brazo por delante.

Al tropezar con una caja, tanteó su contenido.

—Cacerolas. Van a la cocina. La caja
siguiente debe tener los platos.

El anciano abrió una caja tras otra. Sólo
hablaba para dar instrucciones. Tad caminó
cincuenta veces por el pasillo oscuro. Una caja
más. Sólo una.

—¿Dónde pongo ésta? —preguntó.

—Son libros. Déjalos por ahora. Los estantes
no están todavía.

—¿Libros?

Tad los ojeó. Nunca había visto libros así.
Montones de hojas gruesas, cubiertas de
pequeños puntitos.

Braille. Por supuesto. Sacó uno y tanteó los puntitos. ¿De verdad formaban palabras? ¿Cómo se podían leer?

—Sr. James, ¿usted aprendió Braille en la escuela?

—No lo necesitaba entonces. Aprendí el alfabeto común, como tú.

Tad dejó el libro.

—Entonces . . . de niño, ¿no era ciego? —preguntó.

—Podía lanzar y atrapar la bola como el mejor. ¿Y tú? ¿Juegas al béisbol?

—Juego al basquetbol en invierno. Ahora juego a otra cosa. A los detectives.

—Detectives, ¿eh? Huellas digitales, lupas . . . ¿todo eso?

—Y códigos. Lo que más me gusta son los códigos —dijo Tad tanteando los puntitos del Braille—. ¿Cualquiera puede aprender Braille?

—Si le pone el tiempo necesario.

El Sr. James comenzó a tantear dentro de la caja de libros.

—Aquí está —dijo el Sr. James mostrando una tarjeta—. El alfabeto Braille.

—¿Me la presta?

—Ya no la necesito —dijo el Sr. James, sacudiendo la cabeza y sonriendo—. Detectives. Eso es nuevo. Cuando yo era niño, en primavera jugábamos al béisbol. Yo era el capitán. Me llamaban 'Babe'.

—¿Babe? —Tad sonrió también—. ¿Qué promedio tenía?

—Bueno . . . —el Sr. James se mordió los labios—. Digamos que era mucho mejor de lo que sería ahora.

El Sr. James se levantó y dijo: —Ya hemos trabajado bastante por hoy. Se hace tarde.

Sacó su billetera. Tad vio que algunos billetes estaban doblados a lo largo y otros a lo ancho. El Sr. James los tanteó y le dio uno a Tad.

—Gracias por tu ayuda.

¡Uno de cinco! Tad se quedó doblando el billete. Uno de cinco . . . todo por vaciar unas cuantas cajas.

—Gracias. Eh . . . ¡Feliz Pascua!

Al cruzar la calle, Tad pensó en todas las cosas de detective que podría comprar con los cinco dólares.

—Regresaste a tiempo —le dijo la mamá—. Los huevos están listos. Michelle ya pintó algunos.

La decoración al batik de los huevos de Pascua era una tradición familiar. Primero, se dibujaba el diseño en el huevo con lápiz. Luego, se hacía el dibujo con un clavo cubierto de cera caliente. Al teñirse los huevos, el dibujo quedaba blanco.

—Por supuesto, tú no lo apreciarás. No está en clave ni nada por el estilo —dijo Michelle.

En clave. Tad tanteó los bultitos de cera en la cáscara. Se acordó de la tarjeta en Braille.

—Vuelvo en un minuto.

Se llevó un huevo a su habitación y cerró la puerta. Allí haría el diseño con lápiz. Luego, pasaría la cera en la cocina. Los puntitos eran fáciles.

Estudió el alfabeto. La tarjeta decía que una celdilla de Braille tiene seis puntos, así. Cada letra del alfabeto Braille se escribía con una combinación diferente de puntitos.

B A B E

¡Qué código!

¡Ya estaba! Primero, lo escribió en el papel y luego, en la cáscara del huevo.

—¿Y eso es un dibujo? —gritó Michelle.

Tad puso cuidadosamente el huevo decorado en el estante. Tenía cada letra hecha en cera.

—Tú no sabes nada —contestó Tad.

A las 10:15 de la mañana siguiente, el cartero hizo el reparto del sábado. Unos minutos después, Tad se puso detrás de un árbol en el patio del Sr. James. Esperó.

Quince minutos más tarde, se oyó el ruido
del bastón. Tad contuvo la respiración al ver al
Sr. James sacar el huevo del buzón.

¿Estaban bien los puntos? ¿Se leía B-A-B-E
claramente? Tad se mordía las uñas esperando.

El Sr. James tanteaba el huevo una y otra
vez. De repente, sonrió. Se apoyó contra el
buzón y siguió tocando el huevo.

Por fin, guardó con cuidado el huevo en el
bolsillo de la camisa. Tomó el bastón, ¡pero no como
bastón, sino como un bate de béisbol! Lo agarró
con las dos manos, lo llevó hacia atrás y bateó.

Tad se alejó lentamente, un poco avergonzado
pero también orgulloso.

El caso del código en el buzón estaba cerrado.

Preguntas

1. ¿Por qué tenía que ir Tad a casa del Sr. James?

2. ¿Por qué se interesó Tad por los libros de Braille del Sr. James?

3. ¿Por qué crees tú que Tad puso el huevo en el buzón en lugar de dárselo personalmente al Sr. James?

4. Inventa un código simple. Escribe tu nombre usando el nuevo código.

Aplicación de destrezas de lectura

Pistas del contexto

Lee las oraciones siguientes. Busca el significado de cada palabra subrayada usando las pistas del contexto. Luego, escribe cada palabra y su significado.

1. Al teñirse los huevos de Pascua, el dibujo con cera quedaba blanco.
   a. caerse   b. freírse
   c. pintarse   d. ponerse

2. La decoración al batik de los huevos de Pascua era una tradición familiar. Se hacía el dibujo con lápiz. Luego se ponía cera caliente.
   a. diseño   b. descanso
   c. comida   d. cera

EL SECRETO

Si quieres
yo te digo
la clave
del secreto.

Es sólo una palabra
ligera
como el viento.

Si quieres
te la digo
también como secreto.

Un cofre
diminuto
con otro cofre
dentro.

Y dentro
(todavía)
un cofre más pequeño
que guarda la envoltura
de un cofre
diminuto
con otro
dentro.

Fernando Ortiz Sanz

PARTES DE UN LIBRO: ÍNDICE, GLOSARIO

Un **índice** es una lista en orden alfabético. Se usa para hallar información. Un índice puede contener nombres, temas, fechas o lugares. Muchas veces, el índice está al final del libro. Un libro sobre pájaros podría tener un índice con los nombres de todos los pájaros en orden alfabético. Después de cada nombre, el índice te daría el número de la página donde se habla de ese pájaro en el libro.

ACTIVIDAD A Lee esta parte del índice de un libro sobre detectives. Contesta las preguntas.

binoculares, 119	huellas digitales, 14
casos famosos, 21	robos, 23
claves, 76	secretos, 54

1. Puedes encontrar información sobre claves en la página _____.
2. ¿Dónde buscarías información sobre casos famosos?
3. ¿De qué se habla en la página 14 del libro?
4. ¿Encontrarías los robos antes o después de los casos famosos?
5. ¿Cómo podrías saber para qué sirven los binoculares?

Un **glosario** es un tipo de diccionario. Hay un glosario al final de este libro. En el glosario hay algunas palabras importantes que has leído en el libro. El glosario te dice cómo se dividen las palabras en sílabas y lo que significan.

ACTIVIDAD B Busca cada una de las palabras siguientes en el glosario. Escribe cada palabra en tu papel, separando las sílabas. Luego, escribe su significado.

1. batik
2. tulipán
3. alce
4. azotea
5. micrófono
6. catástrofe
7. paciencia

Después de buscar las palabras en el glosario, usa una de ellas para acabar cada una de las oraciones siguientes. Escribe las oraciones completas.

El presidente se acercó al _____ para hablar.

Subimos a la _____ de la casa para jugar.

Esa tela tiene un diseño de _____.

Debes tener _____ y no enojarte con él.

La tormenta fue una _____; dañó la cosecha.

Sembró un _____ en el jardín.

El _____ salió del bosque y fue a beber al río.

MAXIE

MILDRED KANTROWITZ

A veces, sólo tenemos que escuchar para conocer a nuestros vecinos. Al despertar por la mañana, ¿qué ruidos oyes? ¿Un perro que ladra? ¿Un bebé que llora? Escuchar es una buena manera de conocer el mundo que nos rodea. En este cuento, los vecinos escuchan los ruidos que hace una señora, Maxie, por la mañana.

Maxie vivía en tres habitaciones pequeñas. Estaban en el último piso de una vieja casa de piedra en la Calle Orange. Hacía muchos años que vivía allí, y todos los días eran iguales para Maxie.

Cada mañana, los siete días de la semana, exactamente a las siete en punto, Maxie subía las persianas de las tres ventanas de delante. Cada mañana, exactamente a las 7:10, su enorme gato rojizo saltaba sobre el antepecho de la ventana de en medio. Se estiraba bajo el sol de la mañana.

A las 7:20, si observaras la ventana de atrás, podrías ver a Maxie subir la persiana y destapar una jaula. Dentro de la jaula, un canario amarillo estaría esperando a que le llenaran el platillo de agua. Esto ocurriría, si todavía estuvieras mirando, exactamente a las 7:22.

Cada mañana a las 8:15, la puerta de Maxie se abría con un chirrido. Maxie bajaba los cuatro pisos hasta la puerta de la calle. Golpeteaba con sus viejas pantuflas de cuero los escalones sin alfombra. Afuera, al lado de la puerta, estaban las botellas de leche en un cajón. Maxie siempre trataba de mantener la puerta abierta con el pie izquierdo, mientras agarraba la leche. Pero las botellas estaban demasiado lejos. La puerta se cerraba de golpe dejándola en la calle.

Por eso, todas las mañanas a las 8:20, Maxie tocaba el timbre del portero. El portero, que se llamaba Arthur, le abría la puerta. La dejaba entrar con la leche.

Sólo Maxie y la mujer de la tienda sabían lo que comía en su desayuno. Pero todo el mundo sabía que Maxie tomaba té. Todas las mañanas a las 8:45, podían escuchar el silbido de la tetera. A Maxie le gustaba tanto ese silbido que lo

dejaba sonar durante un minuto. Los perros aullaban, los gatos maullaban y los bebés lloraban. Todo el mundo sabía que cuando el silbido acababa eran las 8:46. Y así era siempre.

El cartero sabía más sobre Maxie que cualquier otra persona. Sabía que tenía una hermana en Chicago que le enviaba una tarjeta de Navidad todos los años. También sabía cuándo Maxie plantaba sus flores en las macetas de su ventana. Todas las primaveras le traía el catálogo de semillas. Unas semanas más tarde llegaban los paquetes de semillas que Maxie quería.

Todas las mañanas a las nueve en punto, Maxie bajaba por segunda vez las escaleras en pantuflas. Salía a colocar una pequeña bolsa de basura en el cubo de la entrada. Regresaba a esperar al cartero. Pasaba lentamente a su lado en el pasillo. Lo observaba mientras ponía el correo en los buzones de los vecinos. Luego,

105

volvía a subir los cuatro pisos. Descansaba en cada rellano de la escalera. Al llegar arriba, entraba en su apartamento. Volvía a cerrar la puerta con el mismo chirrido.

Una tarde a la 1:05, como todas las tardes a la 1:05, Maxie puso la jaula con el canario en las ventanas de delante. Allí podía aprovechar la sombra y el fresco.

El enorme gato rojizo se pasó a la ventana de atrás. Volvió a echarse allí para disfrutar del sol.

—Para ser feliz sólo tienes que echarte ahí todos los días —le dijo Maxie—. Lo único que te gusta es ir de una ventana a otra y ver pasar el mundo. No necesitas a nadie y nadie realmente te necesita. Pero no pareces preocuparte por eso.

Maxie se alejó de la ventana.

—Pero a mí sí me preocupa —dijo con tristeza—. Yo no soy un gato. Pero lo mismo daría que lo fuera.

Maxie se sintió muy cansada y se acostó. Eso pasó el lunes.

El martes a las siete de la mañana, las tres persianas de delante y la de atrás quedaron cerradas. A las 7:10, el enorme gato rojizo seguía durmiendo al pie de la cama de Maxie.

A las 7:30, no se escucharon los dulces gorjeos. Esa mañana, nadie oyó el golpeteo de las pantuflas de cuero en la escalera. La tetera estaba en silencio.

A las nueve, el cartero llegó con el correo. Traía un catálogo de semillas para Maxie. Esperó a que ella bajara la escalera. Como no bajó y eso era bastante raro, decidió llevárselo hasta la puerta.

Subió los cuatro pisos, golpeó y esperó. Maxie no daba señales de vida. A las 9:03, el Sr. Turkle subió corriendo las escaleras. Él vivía en el tercer piso. A las 9:05, el Sr. y la Sra. Moorehouse cruzaron desde el edificio de

107

enfrente. A las 9:07, llegó la Sra. García, la vecina de al lado. Susie Smith llegó a las 9:10 con sus hermanos mellizos.

Cinco miembros de la familia del segundo piso llegaron a las 9:13. Luego vino Arthur, el portero. A las 9:17, había diecisiete personas, tres perros y dos gatos. Esperaban a que Maxie abriera la puerta.

Pero como no abría, entraron todos. Encontraron a Maxie en la cama. Subió más gente y alguien llamó al médico. Cuando llegó, había cuarenta y dos adultos y once niños en la pequeña sala de Maxie.

Cuando la doctora salió del dormitorio de Maxie, sacudió tristemente la cabeza.

—En realidad no está enferma —dijo—. Se siente sola. Cree que nadie la quiere, que nadie la necesita.

Por un minuto nadie dijo nada. De pronto, la Sra. García se levantó. Pasó junto a la doctora y entró en el dormitorio.

—¡Maxie! —gritó enojada—. ¡Me falló! ¡Usted y ese pájaro cantarín me fallaron!

—Cada mañana me despierto cuando lo oigo cantar. Luego, tengo que despertar a mi marido.

Él trabaja por la mañana en el café de la esquina, pero hoy siguió durmiendo. En este momento debe de haber unas setenta y cinco personas en ese café esperando su desayuno. ¡Van a tener que ir todos a trabajar sin desayuno! ¡Y la culpa es suya y de su canario!

Todos entraron al dormitorio. Maxie se sentó en la cama y escuchó lo que decían.

—No pude ir a la escuela esta mañana —dijo Susie Smith—. Perdí el autobús porque no oí silbar su tetera.

—El autobús no salió esta mañana —dijo el Sr. Turkle que era el conductor—. No me desperté a tiempo porque no oí los pasos de Sarah Sharpe en el piso de arriba.

Sara Sharpe era una enfermera. Vivía en el piso de arriba del Sr. Turkle. Mucha gente la esperaba en el hospital en ese momento. Ella siempre se levantaba cuando oía el chirrido de la puerta de Maxie.

El Sr. y la Sra. Moorehouse tenían trabajos muy importantes. Esa mañana habían perdido el tren. Siempre se despertaban con las persianas de Maxie. Arthur dijo que esa mañana no había barrido la escalera de la entrada. Se había quedado dormido porque Maxie no tocó el timbre. Esperaba que nadie se quejara. Todos hablaron. Decidieron que cada mañana había unas cuatrocientas personas que necesitaban a Maxie.

Maxie sonrió. Se levantó de la cama y preparó té. En realidad, preparó té cinco veces. Y cada vez que la tetera silbaba, los perros aullaban, los gatos maullaban y los bebés lloraban. Maxie escuchaba. Pensaba en todas las personas que dependían de esos ruidos, sus ruidos. A las 9:45 de esa mañana, Maxie había servido té a todos. Estaba muy contenta.

Preguntas

1. ¿Cuáles son tres de las cosas que hacía Maxie cada mañana?

2. ¿Por qué se quedó Maxie en cama el martes?

3. ¿Crees que la vida de Maxie será diferente de ahora en adelante? ¿Por qué sí o por qué no?

4. ¿Qué ruidos oyes por la mañana?

Aplicación de destrezas de lectura
Causas de un suceso

Piensa en el cuento "Maxie" y escribe las respuestas a las preguntas siguientes.

1. ¿Por qué el Sr. y la Sra. Moorehouse perdieron el tren?

2. ¿Por qué Susie Smith no fue a la escuela por la mañana?

3. ¿Por qué Maxie se quedó en cama el martes por la mañana?

Chin Chiang y la danza del dragón

Ian Wallace

Por lo general, hablamos con nuestros amigos para compartir lo que sabemos. También podemos comunicar conocimientos mostrándole a una persona cómo hacer algo. En este cuento, a un niño llamado Chin Chiang le enseñan un baile especial: la antigua danza del dragón. Esta danza es una parte muy importante del desfile del Año Nuevo chino que se celebra en el barrio de Chin Chiang todos los años.

Desde los primeros años de su vida, Chin Chiang había soñado con bailar la danza del dragón. Con la llegada del Año del Dragón, su sueño se haría realidad. Esa noche iba a bailar con su abuelo. Pero en vez de entusiasmo, Chin Chiang tenía tanto miedo que no sabía dónde meterse. Creía que no podía bailar tan bien como para que su abuelo se sintiera orgulloso.

El chico dejó de barrer el piso de la tienda de su familia. Miró a la calle. Su mamá, su papá y otros comerciantes colgaban linternas de papel con formas de animales, peces y pájaros.

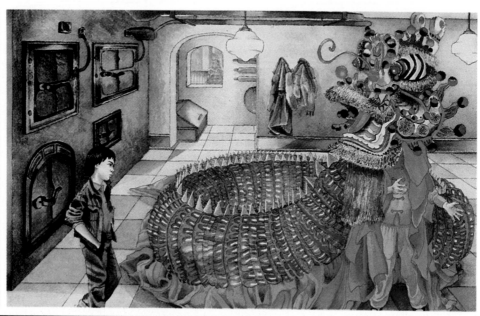

—Es hora de ensayar nuestros papeles en la danza del dragón una última vez. Pronto llegarán los otros bailarines, Chin Chiang. Ya casi se ha ido la tarde —le gritó el abuelo Wu desde el fondo de la tienda.

—Si fuera conejo, me podría ir corriendo hasta bien lejos —se dijo Chin Chiang—. Pero entonces, mamá, papá y el abuelo se avergonzarían mucho de mí.

Así que se fue muy despacio al fondo de la tienda. Allí, el abuelo Wu lo esperaba. Éste tenía puesta la maravillosa cabeza de dragón. La iba a llevar otra vez esa noche en el desfile.

—Levanta la cola del suelo, detrás de mí —dijo el abuelo desde dentro de la cabeza del dragón—. Juntos tú y yo vamos a ser el dragón más maravilloso que jamás se haya visto.

Chin Chiang lo hizo. Pero cuando el abuelo empezó la danza, Chin Chiang no se movió.

—El abuelo se puede esconder dentro de la cabeza del dragón —susurró—, pero si yo me caigo no tengo donde esconderme. Todos dirán: "Allí va el torpe de Chin Chiang".

El abuelo Wu dejó de bailar.

—Un dragón tiene tanto cola como cabeza —le dijo con dulzura.

Chin Chiang se miró los zapatos.

—No puedo bailar la danza del dragón.

—Te has entrenado durante mucho tiempo, Chin Chiang. Esta noche, cuando bailes, vas a hacer que tus padres lloren de orgullo. Anda, vamos a ensayar como otras veces.

Pero cuando Chin Chiang trató de saltar, tropezó, dio un traspié y se cayó. ¿Cómo pudo haber pensado que podía bailar la danza del dragón? Era demasiado torpe para eso.

Chin Chiang dio un salto. Corrió lejos de su abuelo y de la tienda. Sólo se paró para recoger la máscara de conejo. Le hizo dos agujeros para los ojos y se la puso en la cabeza.

—¡Mira, mira, es la cola del dragón! —dijo la señora Lau, mostrándole a Chin Chiang un salmón con manchitas—. Esta noche cuando bailes, el gran dragón que vive en las montañas estará feliz. El año próximo llenará nuestras redes con peces tan bonitos como éste.

Chin Chiang empezó a irse.

—Y hará crecer naranjas muy grandes y coloridas —dijo el señor Koo.

—Lo que dicen es verdad —dijo el señor Sing—. El gran dragón nos traerá felicidad y buena fortuna si tu danza le gusta.

Pero Chin Chiang recordó lo que uno de los bailarines le había dicho una vez. Si la danza era torpe, el gran dragón se enojaría. Tiraría las frutas de los árboles. Mandaría muchas lluvias al valle.

"Y sería todo mi culpa" pensó Chin Chiang. *"Abuelo Wu tendrá que buscar otro acompañante para bailar con él".*

No quiso escuchar más. Cruzó corriendo la calle del mercado.

—¡Los pescados! —gritó la señora Lau.

—¡Las naranjas! —gritó el señor Koo.

Chin Chiang dobló en la esquina.

—Nuestra danza —dijo el abuelo Wu, desde la puerta.

Mirando a través de la máscara, Chin Chiang fue lo más rápido que pudo a la biblioteca pública. Iba por el camino que pasaba frente al mar. Había ido allí muchas veces, cuando quería estar solo. Abrió la puerta y corrió escalera arriba, girando y girando, más y más alto. Abrió la puerta que daba a la azotea.

Desde su mirador en el cielo veía las montañas y el mar. Abajo, las linternas con formas de animales brillaban como pequeñas estrellas. Se sintió más contento que en los días anteriores.

—Yo jamás imaginé que me encontraría
con un conejo en esta azotea —dijo una voz
desconocida.

Chin Chiang se volvió rápidamente. Una
señora con un trapeador y un cubo se le
acercaba.

—Yo no soy un conejo —dijo tímidamente—.
Soy Chin Chiang —y se quitó la máscara.

—Ah, eso está mucho mejor —le dijo la
señora—. ¿Qué tal, Chin Chiang? Yo me llamo
Pu Yee. ¿Puedo disfrutar de la vista contigo?

Y sin esperar respuesta, añadió: —Dentro de
poco veré el desfile del Año Nuevo desde aquí.

De joven, bailaba la danza del dragón, pero ya no. Mis pies son viejos.

—Mi abuelo baila la danza del dragón —dijo Chin Chiang—, y sus pies son tan viejos como los suyos.

Pu Yee se rió y dijo: —Puede que sus viejos zapatos muevan sus viejos huesos, pero mis pies ya no van a bailar más.

De repente, a Chin Chiang se le ocurrió una idea fantástica: ¿Qué pasaría si alguien bailaba por él en el baile? Iba a enseñarle a Pu Yee su papel en la danza ahora mismo. Nadie los vería si tropezaban o se caían.

—Usted me puede ayudar a ensayar lo que me enseñó mi abuelo —le dijo.

—¡Ay, por mis pobres huesos, eso sí que será divertido! —dijo Pu Yee.

—Usted puede bailar —contestó él.

Con cuidado, Chin Chiang dio un saltito. Pu Yee también saltó. Él se movió despacito al principio y ella también. Luego, saltaron en el aire. Aterrizaron juntos y giraron sobre los talones. Al poco rato, Pu Yee había olvidado lo de sus huesos. Entonces, Chin Chiang tropezó y se cayó.

—Vamos a probar otra vez —le dijo Pu Yee al levantarlo.

Mientras bailaban, la oscuridad bajaba
lentamente desde la montaña a la ciudad.
Entonces, Chin Chiang oyó a lo lejos el son de
las palomas. Tenían silbatos atados a las plumas
de la cola. Las habían sacado de las jaulas en el
mercado, y volaban por encima de los edificios.
Chin Chiang sabía que había empezado el
festival del Año Nuevo.

—Tenemos que irnos, Pu Yee. Estamos
atrasados. Las palomas están volando.

—*Yo* no estoy atrasada —contestó ella—. Yo
me quedo aquí.

Pero Chin Chiang se la llevó de la mano.
Bajaron las escaleras a toda prisa, girando y
girando, abajo y abajo. Llegaron hasta la calle
del mercado. Chin Chiang se abría paso pero Pu
Yee se quedó atrás. En medio del ruido y la
confusión, Chin Chiang le soltó la mano. De
pronto se vio cara a cara con un dragón. Su
cabeza estaba envuelta en humo.

—¿Dónde has estado, Chin Chiang? Me
tenías muy preocupado —le dijo el abuelo Wu en
voz baja.

Cuando Chin Chiang no contestó el abuelo
dijo: —Anda, agarra la cola. Sin el humo todo el
mundo nos verá.

Chin Chiang se quedó allí, con los pies
clavados en el suelo.

—Yo no puedo bailar, abuelo —dijo.

El abuelo se dio la vuelta.

—Sí puedes bailar, Chin Chiang. Sígueme.

—¡Miren, miren! ¡Ahí viene el dragón!
—gritó el señor Sing.

Los "vivas" de la multitud rebotaron en las
ventanas y puertas. Subieron al cielo.

Chin Chiang estaba atrapado. Poco a poco se
agachó y recogió la cola. El abuelo Wu movió la
cabeza del dragón rápidamente. Luego, Chin
Chiang empezó a moverse al son del explosivo
tambor.

De pronto, Chin Chiang tropezó. Pero en vez de caer, dio un paso rápido y se equilibró. Entusiasmado, saltó en el aire, una y otra vez, más y más alto. El baile avanzaba, y los pies de Chin Chiang se movían con más seguridad. Sus pasos se hacían más firmes y sus saltos, más atrevidos. La señora Lau y el señor Koo lo aplaudían desde sus tiendas del mercado. La gente salía de las casas.

En ese instante, Chin Chiang vio una cara conocida entre la multitud. Era Pu Yee. Chin Chiang salió a la acera. La llevó a la calle.

—¡Que no puedo, Chin Chiang! —le dijo ella, tratando de escaparse—. ¡Mis huesos, mis rodillas!

—Sí, Pu Yee, sí puede —contestó Chin Chiang—. ¡Míreme!

Dudando un poco, Pu Yee tomó la cola. Juntos bailaron como lo habían hecho en la azotea. La gente los aplaudía. Bailaron calle arriba y calle abajo al ritmo del explosivo tambor.

Al poco rato, el dragón levantó la cabeza. Movió la cola por última vez. La danza había terminado. Pu Yee abrazó a Chin Chiang.

Dentro de la cabeza del dragón, el abuelo Wu sonreía y dijo: —Trae a tu nueva amiga a casa a cenar, Chin Chiang.

Pu Yee y Chin Chiang saltaron rápidamente al escalón de la puerta. Se metieron directamente en la pastelería.

La familia intercambió regalos de tés finos en cajitas de madera y ropa nueva. Después se sentaron juntos a comer. Había empanaditas de carne, tazones de sopa caliente y bandejas de deliciosos dulces y frutas frescas.

—Por Chin Chiang, la mejor cola de dragón que he visto en mi vida —dijo el abuelo Wu.

Levantó su copa en un brindis. La cara de Chin Chiang brillaba de orgullo.

—Por un feliz Año del Dragón —dijo levantando su copa hacia su mamá, su papá, su abuelo y su nueva amiga, Pu Yee.

Preguntas

1. ¿Por qué Chin Chiang no quería bailar la danza del dragón?

2. ¿Cómo se ayudaron Chin Chiang y Pu Yee?

3. ¿Por qué crees que era importante para Chin Chiang bailar la danza del dragón?

4. Si tuvieras la oportunidad de disfrazarte en un desfile, ¿de qué te vestirías?

Aplicación de destrezas de lectura

Realidad y fantasía

"Chin Chiang y la danza del dragón" habla de un niño y un dragón. Es un cuento realista. Ahora, escribe las oraciones que describen sucesos.

La gente de la calle formó un enorme dragón.

Chin Chiang se quedó con los pies clavados en el suelo.

Las linternas de papel se convirtieron de repente en animales, peces y pájaros.

Chin Chiang se convirtió en un conejo y se fue corriendo a toda prisa.

El abuelo sonrió dentro de la cabeza del dragón.

DIBUJEMOS PALABRAS

La lengua china no se escribe como el español. Para escribir en español usamos las letras de un alfabeto. En chino, se usan símbolos o dibujos de las cosas.

El símbolo chino para *árbol* es

¿Qué crees que significa esto?
Significa *bosque*.

Aquí dice *hombre*.
¿Ves las dos piernas?

Aquí dice *mujer*.
También tiene dos piernas.

En chino, *caballo* se escribe así:
¿Ves la cola y las cuatro patas?

Inventa tu propia lengua con dibujos. Dibuja *corre*. Después, escribe una oración con los dibujos que diga: *El hombre corre en el bosque*.

Pensemos en los relatos de *Conversaciones*

En *Conversaciones*, leíste relatos sobre la comunicación entre personas y entre animales. Cuando uno de los personajes quería comunicar un pensamiento o una idea, tenía que pensar en una manera adecuada de hacerlo. Podía usar palabras, gestos u otros símbolos.

1. ¿Qué les querían decir Maxie y Perico Ratón Campestre a sus amigos?

2. "La cotorra que no quería decir 'Cataño'" trataba de la comunicación entre dos hombres y una cotorra. Piensa en un animal doméstico. ¿De qué manera puede comunicarse contigo?

3. ¿Qué cuentos podrían haber sucedido de verdad?

4. ¿Crees que *Conversaciones* es un buen título para esta Unidad? ¿Por qué sí o por qué no?

5. En "Chin Chiang y la danza del dragón", un niño se comunica con una señora, enseñándola a hacer algo. Escribe tres formas de comunicación sin palabras que hayas utilizado ayer.

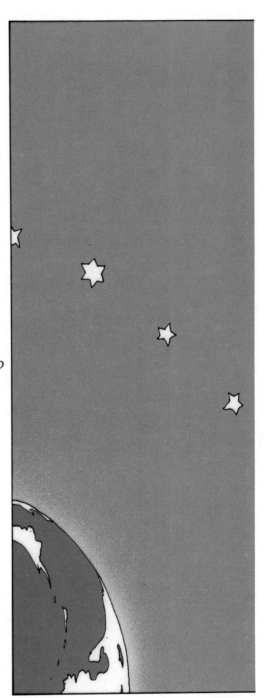

NIVEL 8, UNIDAD 2

Viajeros

Viajero de todo el campo,
viajero de todo el mar,
que no te alcancen las olas
para tu sed de viajar.

Andrés Eloy Blanco

La lección de Sacajawea

Jerry Seibert

Antes de la llegada de los colonos, sólo los indios vivían en este país. Una tribu, los shoshoni, vivía en las montañas Rocosas. Para ellos, los nombres eran muy importantes. Cuando nacía un niño, la familia esperaba alguna señal de los espíritus que indicara cuál debía ser su nombre.

El día en que nació la hermana de Oso Pequeño, éste vio en el cielo los Grandes Cisnes, los cisnes trompeteros. "¿Sería ésta la señal?", se preguntaba Oso Pequeño. Fue con su padre, el jefe Aguila, al hechicero, el hombre más sabio de la tribu.

—Vieron una señal auténtica —expresó el hechicero—. Es natural que la hija del jefe Águila lleve el nombre de los Grandes Cisnes. Pero no la llamen Niña Cisne en voz alta. Su verdadero nombre debe ser un secreto para así confundir a los malos espíritus. Llámenla Sacajawea: Niña Pájaro.

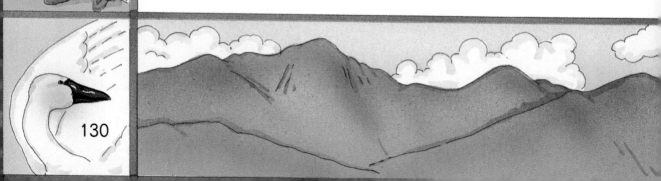

Oso Pequeño no olvidó las palabras del hechicero. Era posible que Sacajawea necesitara saber muchas más cosas que las otras niñas. ¿Quién la podría enseñar mejor que él?

La enseñó a nadar como lo hacían los guerreros. Ella aprendió a ir por las aguas heladas de los ríos sin apenas agitarlas. Aprendió a nadar mientras cargaba una pesada bolsa.

Una de las lecciones más importantes que aprendía un guerrero era la de saber orientarse siempre, tanto de día como de noche. Para un guerrero era vergonzoso perderse, aunque hubiera viajado durante muchos días.

Oso Pequeño enseñó a Sacajawea a atravesar bosques sin senderos y desfiladeros estrechos.

—Cuando viajes, ten mucho cuidado —le decía—. Recuerda todos los rasgos del paisaje: cosas grandes, como la silueta de un pico contra el cielo, y cosas pequeñas, como la rama torcida de un árbol.

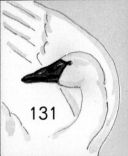

—Pierdes tu tiempo —le decían los otros niños—. Una niña no puede aprender lo que se le enseña a un guerrero.

—Sacajawea sí puede— decía Oso Pequeño.

Un día ella lo demostró. Estaban lejos de su casa. Sacajawea nunca había estado en aquella parte de las montañas. Oso Pequeño vio un nido de águila en lo alto de un risco.

—Veamos si hay aguilitas en el nido —dijo.

—Antes las águilas eran indios shoshoni —le contó a Sacajawea, mientras subían al risco—. Los espíritus les dieron poderes para que se pudieran convertir en águilas. Pero un espíritu malo de otra tribu les robó los poderes que los volvían a convertir en personas. Las águilas siguen siendo shoshoni. Pero sin la magia no pueden volver a ser personas.

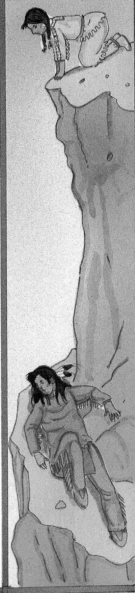

Era difícil encontrar un sitio en el risco donde apoyar el pie. Al subir Oso Pequeño a una roca afilada, se oyó un chasquido. La roca cayó violentamente por la ladera de la montaña.

Sacajawea miró asustada hacia abajo. No veía más que rocas grises. De repente oyó la voz de Oso Pequeño. Por un momento pensó que era un espíritu. Luego, lo vio tendido en un estrecho saliente que había un poco más abajo. A su alrededor, la roca estaba lisa.

—Debes ir en busca de ayuda —le gritó él—. No veo cómo podré bajar de este saliente.

Sacajawea bajó del risco lenta y cuidadosamente. Cuando llegó al valle, el sol ya se había puesto. Se detuvo para estudiar los rasgos del paisaje mientras aún quedaba luz. Luego, corrió a un ritmo veloz y constante. Quería ir más deprisa, pero sabía que así se cansaría mucho antes.

Se hizo de noche. Las estrellas comenzaron su marcha por el cielo. La luna flotaba por encima de los picos. Sacajawea nunca había estado sola en el bosque por la noche. Había un gran silencio. El ruido más suave sonaba fuerte.

Las montañas hacían sombras bajo la luz de la luna. Sacajawea se detuvo con frecuencia para observar siluetas negras y plateadas. ¡Parecían tan diferentes de día!

Nubes negras volaron por el cielo escondiendo la luna y las estrellas. Comenzó a llover. Hasta las formas de las montañas se borraron.

Sacajawea se puso debajo de un árbol. La lluvia fría goteaba entre las hojas. Muy cerca, algo se abrió paso entre los árboles. ¿Sería un alce . . . o un oso blanco? Su corazón latía con fuerza. Hasta los guerreros más valientes temían a los osos blancos.

Luego, pensó en Oso Pequeño tendido en el estrecho saliente.

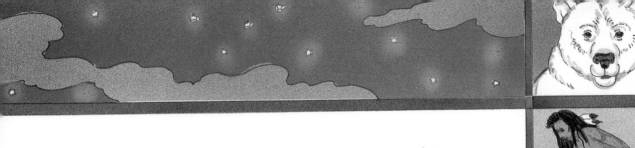

—Oso Pequeño depende de mí —se dijo.

En cuanto rayó el alba en el este, Sacajawea siguió su camino. El sol aún estaba en lo alto del cielo cuando llegó al pueblo.

—Conozco el lugar —dijo el jefe Águila, cuando Sacajawea le contó lo que había pasado—. Siempre hubo allí un nido de águilas.

Partió inmediatamente con un grupo de guerreros. Llevaban largas sogas de cuero y montaban sus caballos más veloces. Al día siguiente, Oso Pequeño ya estaba en casa. Sólo algunos cortes y moretones recordaban su caída.

—Fuiste rápida, hermanita —le dijo a Sacajawea—. El camino, por territorio desconocido, era difícil. Ningún guerrero lo hubiera hecho mejor.

Sacajawea sabía que no podía haber dicho nada mejor.

El cuento que acaban de leer trata de una niña real. Sacajawea se mantuvo fiel a su nombre y llegó a ser una guía famosa. Cuando, en 1804, el presidente Jefferson envió a Meriwether Lewis y William Clark a explorar el Oeste, se encontraron de camino con Sacajawea. Ella los guió por territorios que conocía desde su niñez. Un río, una montaña y un desfiladero llevan su nombre.

Preguntas

1. ¿Qué le enseñó Oso Pequeño a Sacajawea?

2. ¿Por qué se cayó Oso Pequeño?

3. ¿Por qué crees que Sacajawea estudió cuidadosamente los rasgos del paisaje cuando iba en busca de ayuda?

4. Piensa en el recorrido que haces de tu casa a la escuela. ¿Cuáles son algunos de los "rasgos del paisaje" en ese camino?

Aplicación de destrezas de lectura
Idea principal y detalles que la justifican

Lee el párrafo siguiente sobre Sacajawea. Luego, copia el párrafo y subraya la idea principal. Dibuja dos rayas bajo las ideas que la justifiquen.

   Sacajawea aprendió a nadar deprisa y bien. Aprendió a ir por las aguas heladas de los ríos sin apenas agitarlas. Aprendió a nadar mientras cargaba una pesada bolsa.

137

YO SALGO A RECORRER
LA TIERRA

Yo salgo a recorrer la tierra.

Salgo como el búho, sabio y prudente.

Salgo como el águila, poderoso y audaz.

Salgo como la paloma, poderoso y dulce.

Salgo a recorrer la tierra

    con el saber, el valor y la paz.

Alonzo López
indio papago

JUGUEMOS CON LOS NOMBRES

Sacajawea tenía dos nombres: Sacajawea, que quiere decir "Niña Pájaro", y su nombre secreto, Niña Cisne. Tu nombre es importante. Indica que eres alguien diferente de los demás.

Hay muchas cosas especiales que puedes hacer con tu nombre. Vamos a ver cómo lo puedes usar para contar una cosa personal. Mira cómo el nombre de Lisa cuenta lo que le gusta hacer a ella:

Leer   **I**maginar   **S**oñar   **A**divinar

Ahora, usa las letras de tu nombre para contar lo que te gusta hacer.

También puedes cambiar tu nombre para crear un nombre secreto. Después de cada sílaba de tu nombre, agrega otra que comience con *f* y tenga la misma vocal. Mira cómo lo hicieron Paco y Timoteo.

Paco   Timoteo

Pa*facofo*   Ti*fimofotefeofo*

Ahora, hazlo tú con tu nombre.

Escribe ahora con tu nombre el titular de un artículo para el periódico. Así lo hicieron Juan y Marta.

Juan

Juegan **U**nos **A**nimales **N**uevos

Marta

Marcianos **A**sustados **R**echazan **T**omates **A**sados

Aquí están escondidos los nombres de seis personas. Busca los nombres y escríbelos en tu papel.

B	W	O	N	S	T	X	V	W	E	T	N
F	O	R	M	S	A	N	T	O	N	I	O
B	L	D	A	G	N	M	S	X	B	C	E
S	M	A	R	I	A	M	F	G	L	O	K
X	N	T	C	L	M	O	T	S	E	T	S
L	G	L	O	R	I	A	G	J	U	H	A
N	I	L	S	O	E	V	U	Y	O	V	W

Ahora, inventa tu propio Buscanombres. Usa los nombres de seis amigos.

RESUMIR

Cuando resumes oraciones, cuentas lo que dicen de una forma más corta. Puedes resumir muchas oraciones en una sola oración. Tu resumen debe dar la información más importante. Un resumen puede ayudarte a recordar información importante.

ACTIVIDAD A Lee las oraciones siguientes. Luego, escoge la oración que mejor resuma lo que dicen. Escribe la oración en tu papel.

Una de las lecciones más importantes que aprendía un guerrero era la de saber orientarse siempre, tanto de día como de noche. Para un guerrero era vergonzoso perderse, aunque hubiera viajado durante muchos días.

a. Para evitar una deshonra, los guerreros aprendían a saber siempre dónde estaban.

b. Los guerreros aprendían a viajar durante muchos días seguidos.

Nubes negras volaron por el cielo escondiendo la luna y las estrellas. Comenzó a llover. Hasta las formas de las montañas se borraron.

a. El cielo se puso negro y empezó a llover.

b. Era difícil ver las montañas.

142

ACTIVIDAD B Lee cada uno de los siguientes grupos de oraciones. Luego, escribe una oración que resuma lo que dice cada grupo. Usa tus propias palabras en tu oración de resumen. Escribe tu oración en el papel.

El día en que nació la hermana de Oso Pequeño, éste vio en el cielo a los Grandes Cisnes, los cisnes trompeteros. "¿Sería ésta la señal?", se preguntaba Oso Pequeño.

La enseñó a nadar como lo hacían los guerreros. Ella aprendió a ir por las aguas heladas de los ríos sin apenas agitarlas. Aprendió a nadar mientras cargaba una pesada bolsa.

Se hizo de noche. La luna flotaba por encima de las cumbres. Sacajawea nunca había estado sola en el bosque por la noche. Había un gran silencio.

Un cumpleaños para el general ★ Washington

Johanna Johnston

Hacia 1763, Inglaterra poseía trece colonias en Norteamérica en la costa del Atlántico. Algunos colonos deseaban separarse de Inglaterra. El 4 de julio de 1776, declararon su independencia o libertad. Pero para lograr la independencia, tuvieron que pelear en una larga guerra.

George Washington capitaneó a los soldados durante la guerra. Pero fue necesario el valor de muchas personas para que Estados Unidos lograra la independencia. Esta obra de teatro cuenta cómo el valor de dos niños ayudó a la causa norteamericana e hizo del día 22 de febrero de 1778 el cumpleaños más feliz de George Washington.

Personajes:

Narradores

George Washington

Un teniente

Martha Washington, esposa del General

Un cabo

El molinero Goodman

La señora Goodman

Jonathan Goodman

Abigail Goodman

Cuatro soldados del ejército continental

PRÓLOGO

(Los narradores, dos soldados del ejército continental, se ponen frente al público.)

Primer soldado: Era el invierno de 1778. Hacía casi tres años que los norteamericanos luchaban para lograr la independencia.

Segundo soldado: Habíamos conseguido algunas victorias con George Washington como comandante en jefe de las tropas. Pero llegó una época de derrotas.

Primer soldado: Los ingleses habían capturado primero Nueva York y luego Filadelfia.

Segundo soldado: Cuando llegó el frío, el general Washington nos llevó a un campamento de invierno en un lugar llamado Valley Forge, cerca de Filadelfia.

Primer soldado: Cortábamos los árboles para construir chozas y salíamos a buscar comida.

Segundo soldado: Pero los suministros que esperábamos recibir del Congreso Continental y de los diferentes estados no llegaban.

Primer soldado: No teníamos frazadas para protegernos del frío. Vestíamos harapos y nuestros zapatos estaban gastados. Y lo peor de todo era que no teníamos suficiente comida.

Segundo soldado: Volvamos a esa época, a la granja cercana al campamento donde el general Washington tenía su cuartel general.

PRIMER ACTO

Cuartel general del general George Washington
Valley Forge, 1778

★ SUBE EL TELÓN ★

Washington: Espere un momento, Teniente. En cuanto selle esta carta, se la entrego.

Teniente: La llevaré al galope, mi General. Se la llevaré al Congreso sin demora.

Washington: Sé que irá a toda velocidad. Si el Congreso contestara con igual rapidez . . .

Teniente: Mi General, a veces me pregunto, ¿es posible que el Congreso esté perdiendo la fe en la causa de la independencia?

Washington: ¡No, no diga eso, Teniente! El invierno también ha sido duro para los miembros del Congreso. Tuvieron que huir hacia York cuando los ingleses tomaron Filadelfia. Algunos han estado enfermos.

Teniente: Pero están acuartelados en casas calientes y no visten harapos. Tienen zapatos y, sobre todo, *comida*.

Washington: Lo sé, Teniente.

Teniente: Usted escribe carta tras carta, mi General, contando nuestros sufrimientos, pero pasan las semanas y no llegan los suministros.

(Llaman a la puerta.)

Washington: ¡Adelante!

(Entra Martha Washington.)

Martha: Buenas tardes, George. Buenas tardes,
Teniente.

Washington: Entra, Martha, el Teniente ya
se marcha.

Teniente: Buenas tardes, señora. Me pongo en
camino, mi General.

Washington: Muy bien.

(Sale el Teniente.)

Washington: ¿Qué puedo hacer por ti, Martha?

Martha: Me gustaría que dejaras ese escritorio media hora y comieras algo conmigo.

Washington: Lo siento, Martha. Todavía tengo que escribir muchas cartas. Debo escribir de nuevo al gobernador Trumbull de Connecticut. Él, al menos, siempre nos ha ayudado.

Martha: George, he venido desde Mount Vernon para impedir que te destroces trabajando. Tienes que descansar de vez en cuando. Además, ¿has olvidado que hoy es tu cumpleaños?

Washington: ¡Mi cumpleaños! Ya me gustaría olvidarlo, Martha. La mitad de nuestros soldados caminan descalzos por la nieve. Esta noche no tendrán más que pan de maíz sin carne para comer. No me parece el mejor día para celebrar nada.

(Llaman a la puerta.)

Washington: ¡Adelante!

(Entra el Cabo.)

Washington: ¿Qué sucede, Cabo?

Cabo: Traigo malas noticias, mi General. El maíz que esperábamos del molinero Goodman no ha llegado a pesar de lo prometido. Para esta noche no tendremos ni siquiera pan de maíz.

Martha: ¡Ni pan de maíz!

Cabo: No, señora.

Washington: Ya ves, Martha. Éste no es un día de festejos. No puedo recordar otro peor para nuestra causa.

★ **BAJA EL TELÓN** ★

SEGUNDO ACTO

El molino de Goodman, cerca de Valley Forge

(Los dos narradores entran y se colocan frente al público.)

Primer soldado: El molino de Goodman queda a pocas millas de Valley Forge. Afuera, la rueda del molino gira lentamente en el arroyo helado. Un caballo espera al lado de una carreta.

Segundo soldado: Pero dentro de la casa, el molinero se encuentra postrado por el dolor. Su esposa, hijo e hija tratan de consolarlo.

★ SUBE EL TELÓN ★

Jonathan: Por favor, mamá. Quiero hacer algo para ayudar al general Washington.

Abigail: Yo también. Me duele saber que está pasando frío y hambre.

Jonathan: Déjanos ir, papá.

El molinero Goodman: ¿Creen que sabrán encontrar el camino?

Jonathan: ¡Claro que sí, papá! Vamos, Abigail, no hay tiempo que perder.

Abigail: Espera un momento, hermano. Tengo que llevar algo.

(Sale Abigail.)

La señora Goodman: Al menos abríguense bien.

(Entra Abigail. Viste una capa bajo la cual esconde algo.)

Abigail: Bien, Jonathan, ya estoy lista.

Jonathan: Yo también. No se preocupen. Le llevaremos la harina al General.

★ **BAJA EL TELÓN** ★

TERCER ACTO

El cuartel general del general Washington

★ SUBE EL TELÓN ★

(Más tarde, ese mismo día)

Martha: Nunca te he visto tan desanimado.

Washington: Martha, no sé cuánto aguantarán las tropas estos apuros.

Martha: ¿Temes que comiencen a desertar?

Washington: ¿Quién podría culparlos? ¡Hace meses que sufren! Pero lo que más me duele es que nuestros propios compatriotas no se preocupen de que nuestras tropas tengan comida.

(Llaman a la puerta.)

Washington: ¡Adelante!

(Entra el Cabo.)

Cabo: ¡Buenas noticias, mi General!

Washington: *(con ansiedad)* ¡Por fin! Hable de una vez.

Cabo: Por fin ha llegado la harina de maíz, señor. Las tropas comerán hoy.

Martha: ¡Cuánto me alegro!

Washington: ¡Gracias al cielo! No todos nuestros compatriotas nos han olvidado.

Cabo: Mi General, tal vez usted desee conocer al carretero y a su acompañante.

Washington: Claro que sí. Hágalos pasar.

(El Cabo va hasta la puerta y hace señas a Abigail y Jonathan, que entran.)

Cabo: Señores, les presento a Abigail y a Jonathan Goodman.

Martha: ¡Pero si son unos niños!

Washington: ¿Ustedes solos trajeron la harina de maíz?

Jonathan: Señor, mi padre se lastimó la espalda y no pudo venir. Pero él sabía que sus necesidades eran grandes.

Abigail: Él nos dijo que ustedes también tenían frío. Por eso le traje esto. Yo misma la tejí.

(Saca de su capa una larga bufanda de lana.)

Washington: ¿Cómo puedo agradecértelo? ¿Cómo puedo darles las gracias a ambos? No saben lo que para mí significa saber que todavía hay patriotas en Norteamérica. Los jóvenes como ustedes son nuestra esperanza para el futuro. Esto refuerza mi fe en la causa norteamericana.

Cabo: Mi General, un grupo de soldados espera fuera. Quieren hablarle.

Washington: Que pasen.

(El Cabo deja entrar a cuatro soldados harapientos.)

Primer soldado: Mi General, le traemos un mensaje especial de la tropa.

Segundo soldado: Sepa usted que nos mantendremos siempre a su lado defendiendo nuestra causa.

Tercer soldado: El invierno no es eterno; ya llegarán tiempos mejores.

Cuarto soldado: Queríamos decirle esto hoy, especialmente, ya que tenemos otro mensaje para usted. ¡Ahora todos juntos!

Todos los soldados: ¡Feliz cumpleaños, general Washington! ¡Feliz cumpleaños!

Abigail: ¿Es su cumpleaños, mi General?

Jonathan: ¿De verdad?

Martha: Sí, es su cumpleaños. Hace un rato él creía que era un día triste.

Washington: Pero ahora creo que, gracias a todos ustedes, es el mejor cumpleaños de mi vida. Gracias a ustedes, Jonathan y Abigail. Gracias a ustedes, soldados, por renovar mi fe y mi esperanza. Es el mejor de todos los regalos. Y ahora, ¡a celebrarlo con pan de maíz!

★ **BAJA EL TELÓN** ★

EPÍLOGO

Primer soldado: Vinieron tiempos mejores.

Segundo soldado: A los pocos días del cumpleaños del General, llegó la noticia de que Francia había reconocido a los Estados Unidos como una nueva nación independiente.

Primer soldado: ¡Y mejor aún! Los franceses iban a enviar hombres y barcos para ayudarnos.

Segundo soldado: Un militar famoso, el barón von Steuben, vino de Alemania para ayudar a entrenar a las tropas norteamericanas. Otro excelente soldado, Thaddeus Kosciusko, vino de Polonia.

Primer soldado: Y por fin empezaron a llegar los suministros.

Segundo soldado: Llegó la primavera y estábamos preparados para empezar la lucha de nuevo.

Primer soldado: La guerra no acabó pronto. Pero en cierto modo, el cumpleaños del General abrió el camino hacia la victoria final.

Segundo soldado: Washington celebraría muchos cumpleaños más, algunos como primer presidente de la nueva nación. Pero no celebró ninguno que fuera tan triste y tan alegre como el de aquel 22 de febrero de 1778 en Valley Forge.

★ BAJA EL TELÓN ★

Preguntas

1. ¿Qué tipo de suministros necesitaban las tropas de Valley Forge?

2. ¿Por qué estaba desanimado el general Washington?

3. ¿Cómo eran Abigail y Jonathan?

4. ¿Qué cualidades crees que debe tener un líder? ¿Por qué crees que estas cualidades son importantes?

Aplicación de destrezas de lectura
Predecir resultados

Usa oraciones completas para contestar las preguntas sobre "Un cumpleaños para el general Washington".

1. ¿Cómo adivinaste lo que iban a llevarle Jonathan y Abigail al general Washington?

2. ¿Qué pistas te ayudaron a saber lo que Abigail había escondido bajo su abrigo?

3. ¿Cómo crees que los hombres van a celebrar el cumpleaños de Washington?

LA GENTE LEVANTA COMUNIDADES

John Jarolimek y Ruth Pelz

Los relatos de **Viajeros** tratan de la historia de los pioneros y de la vida en América del Norte en tiempos pasados. Hasta ahora hemos aprendido historia por medio de los cuentos de dos personas reales: Sacajawea y George Washington.

También en los libros de lectura se puede aprender historia. "La gente levanta comunidades" viene de un libro de estudios sociales. Habla de ciertas comunidades de los Estados Unidos. Al leer, fíjate primero en los títulos y los subtítulos. Te ayudarán a recordar las cosas importantes. Trata de encontrar las ideas principales y los detalles que las justifican.

1 Los primeros pobladores de América del Norte fueron los indios

Los primeros pobladores de América del Norte fueron los que ahora llamamos indios o indígenas. Un indígena es la persona que nace en cierto lugar. Al darles este nombre, recordamos que los indios fueron los primeros pobladores del continente.

Los primeros pobladores

Había muchos grupos indígenas distintos. Estos grupos se llamaban tribus o naciones. Cada tribu hablaba un lenguaje diferente. Los grupos indígenas también tenían creencias y costumbres diferentes. Tenían maneras diversas de vivir.

Esta pintura muestra aspectos de la cultura de los indios sioux. ¿Qué te indica que los caballos eran importantes en la vida de los sioux?

Los grupos indígenas tenían culturas diversas. La cultura es la manera de vivir de un grupo de personas. Todos los pueblos tienen una cultura. Nuestra comida, nuestra manera de vestir, nuestro idioma y nuestras creencias son parte de nuestra cultura.

Muchas culturas diferentes

Los grupos indígenas sacaban de la tierra lo que necesitaban para vivir. Las tribus hacían sus casas con los materiales que tenían cerca. Su comida venía de las plantas y animales que existían en el lugar. Las costumbres de las tribus indígenas variaban según las distintas regiones del continente.

Mira el mapa de la página siguiente. En él puedes ver dónde vivían algunas tribus de América del Norte. Las culturas de todas las tribus de un área eran muy parecidas. En el mapa se ven las principales zonas culturales de nuestro continente cuando en él sólo vivían los indios. Cada zona se representa con un color diferente.

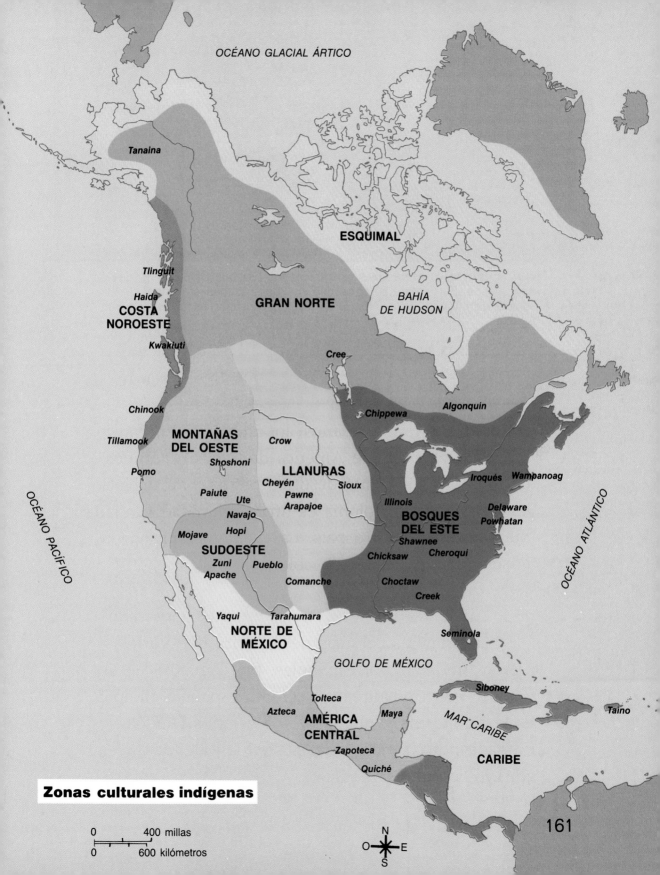

OCÉANO GLACIAL ÁRTICO

Tanaina

ESQUIMAL

BAHÍA
DE HUDSON

Tlinguit

Haida

COSTA
NOROESTE

GRAN NORTE

Kwakiuti

Cree

Chippewa

Algonquín

Chinook

MONTAÑAS
DEL OESTE

Crow

Iroqués *Wampanoag*

Tillamook

Shoshoni

LLANURAS

Pomo

Cheyén

Sioux

Paiute

Pawne

Ute

Arapajoe

Illinois

Delaware

Navajo

BOSQUES
DEL ESTE

Powhatan

Mojave

Hopi

Shawnee

SUDOESTE

Chicksaw *Cheroqui*

Zuni

Pueblo

Apache

Choctaw

Comanche

Creek

Yaqui *Tarahumara*

NORTE DE
MÉXICO

Seminola

GOLFO DE MÉXICO

OCÉANO PACÍFICO

OCÉANO ATLÁNTICO

Siboney

Tolteca

Azteca

Maya

MAR CARIBE

Taino

AMÉRICA
CENTRAL

Zapoteca

CARIBE

Quiché

Zonas culturales indígenas

0   400 millas

0   600 kilómetros

N
O   E
S

161

San Agustín es la ciudad más antigua de los Estados Unidos fundada por colonos. Este fuerte se construyó cuando la ciudad era una colonia española. Hay también otros antiguos edificios españoles en San Agustín.

2   La colonización de los Estados Unidos

Durante miles de años, los indígenas fueron los únicos pobladores de América del Norte. Después, empezó a llegar gente de otros países. Se estableció en colonias. Una colonia es una comunidad fundada por personas de otro país. Las personas que viven en una colonia se llaman colonos.

Los colonos vinieron de muchos países

Las primeras colonias de América del Norte fueron fundadas por españoles. San Agustín, en la Florida, fue fundada como colonia española en 1565. Es la ciudad más antigua de los Estados Unidos fundada por colonos. Aún existen allí algunos edificios españoles antiguos.

También llegaron colonos de otros países de Europa. Muchos vinieron de Inglaterra y Francia. En el mapa de esta página puedes ver dónde estaban las colonias inglesas, francesas y españolas. ¿Qué océano tuvieron que cruzar los colonos europeos para llegar a América del Norte?

Éste es un mapa histórico. En él se ven las colonias españolas, francesas e inglesas de América del Norte. ¿De qué color son las colonias españolas en el mapa? ¿En qué parte del mapa buscaste la respuesta?

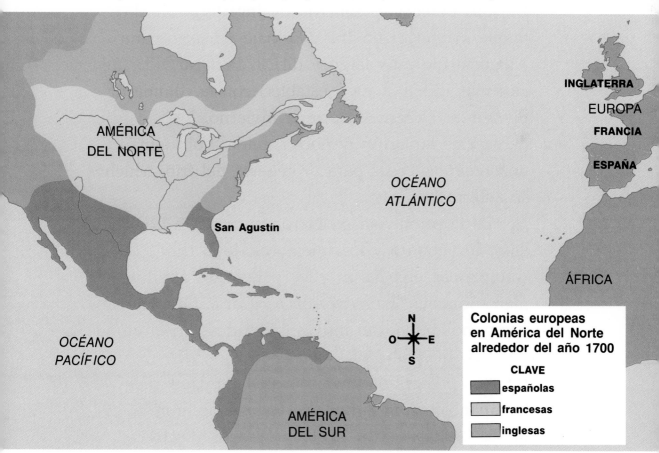

INGLATERRA
EUROPA
FRANCIA
ESPAÑA

AMÉRICA
DEL NORTE

OCÉANO
ATLÁNTICO

San Agustín

ÁFRICA

OCÉANO
PACÍFICO

N
O   E
S

AMÉRICA
DEL SUR

Colonias europeas
en América del Norte
alrededor del año 1700

CLAVE
españolas
francesas
inglesas

163

Cada grupo de colonos trajo a las nuevas tierras su idioma y su cultura. También aprendieron de los indígenas que ya vivían allí. La historia de los peregrinos nos enseña cómo los colonos aprendieron de los indios.

El primer Día de Acción de Gracias

Los peregrinos salieron de Inglaterra en el buque *Mayflower* en 1620. El viaje por el océano Atlántico fue muy largo y difícil. Pero su vida fue aun más difícil cuando establecieron la colonia de Plymouth. Durante el primer invierno, los peregrinos tenían muy poca comida. Sólo tenían unas cuantas casas para protegerse del frío. Muchos se enfermaron.

En la primavera recibieron ayuda. Un hombre llamado Squanto y los miembros de la tribu wampanoag enseñaron a los peregrinos a cultivar maíz. También los ayudaron a cazar y a pescar. Los peregrinos quedaron muy agradecidos. En el otoño de 1621, hicieron una celebración especial.

Los peregrinos invitaron a sus amigos wampanoag a un banquete. Todos comieron en mesas llenas de comida. Hubo juegos y carreras. Así se celebró el primer Día de Acción de Gracias.

En esta pintura se muestra la manera en que los peregrinos y los wampanoag celebraron su primer Día de Acción de Gracias.

Las colonias inglesas se convierten en un país

Llegó más y más gente a América del Norte. Establecieron trece colonias en la costa del Atlántico. Esas colonias eran gobernadas por Inglaterra. Pero los colonos querían gobernarse a sí mismos. Querían ser libres.

El 4 de julio de 1776, los colonos se declararon independientes de Inglaterra. Ser independiente es no estar controlado por otros. Los colonos tuvieron que pelear en una guerra contra Inglaterra para obtener su independencia.

Cuando terminó la guerra, las colonias fueron libres. Había nacido un nuevo país. Cada colonia se convirtió en estado. Había trece estados en los nuevos Estados Unidos de América. Celebramos el nacimiento de este país el 4 de julio de cada año.

3   El país crece

Mucha gente vino al nuevo país, los Estados Unidos. Se crearon nuevas comunidades, crecieron las ciudades, se cultivaron nuevas tierras.

Muy pronto empezó a acabarse la buena tierra de cultivo en los trece estados. En el Oeste había muchas tierras buenas y eran fáciles de adquirir. Muchas familias decidieron irse al Oeste.

Los pioneros

Las primeras personas que se establecen en una nueva tierra se llaman pioneros. Comenzar una vida en esas tierras fue difícil. No había ni tiendas ni ciudades. No había dónde comprar alimentos o ropa. No había ni médicos ni hospitales. Las familias tenían que fabricar o llevar con ellas todo lo que necesitaran para vivir.

El viaje al Oeste

Los pioneros viajaban al Oeste en carretas cubiertas. Las carretas eran arrastradas por caballos o bueyes. Las familias viajaban juntas en largas filas de carretas.

El viaje al Oeste no era fácil. Durante mucho tiempo, no había carreteras para atravesar las montañas o los bosques. No había puentes para cruzar los ríos. A veces los pioneros construían grandes balsas de madera para cruzar un río o un lago. Las balsas son como plataformas. Sobre ellas ponían las carretas. Así flotaban sobre el agua.

Montana Historical Society

Los pioneros viajaban en filas de carretas. Su viaje era largo y difícil.

El viaje era muy lento. Las filas de carretas viajaban doce horas al día. A veces, los pioneros tenían que abrir un camino para que pasaran las carretas. A veces, las carretas se rompían o se quedaban en el lodo. Todos se detenían para prestar ayuda.

Una vida atareada

Al llegar a las nuevas tierras, los colonos del Este no tenían tiempo para descansar. Tenían que cortar árboles para construir casas, arar los campos y cultivar la tierra.

Las casas de los pioneros eran pequeñas y sencillas. Por lo general, tenían sólo una o dos habitaciones. Cada casa tenía una chimenea en la que se cocinaba. Los pioneros no cubrían sus ventanas con vidrios. Usaban pedazos de tela o de piel de venado.

Las familias pioneras vivían lejos de sus vecinos. Tenían una vida muy atareada.

A veces, las familias pioneras se reunían con sus vecinos. Se ponían su mejor ropa y hacían una fiesta.

Sus principales cultivos eran trigo, maíz, papas, frutas y verduras. Muchas familias criaban gallinas y vacas. Así tenían huevos y leche.

Los pioneros fabricaban sus propios vestidos. Con las pieles de los animales que cazaban hacían zapatos y chaquetas. Hacían sus propias velas con sebo o grasa animal. El jabón se hacía con sebo y cenizas.

La vida de los pioneros era dura, pero quedaba tiempo para divertirse. Por las noches las familias cantaban. Jugaban a juegos de adivinanzas, de cartas o de damas. A veces, un miembro de la familia leía en voz alta a los demás.

Las casas estaban lejos unas de otras y los vecinos no se visitaban mucho. Pero, varias veces al año, las familias de un área se juntaban. Así pasaban un buen rato.

Las escuelas de los pioneros

Las primeras comunidades de pioneros no tenían escuelas. A veces, una de las madres enseñaba en su casa a varios niños. Los demás padres le pagaban con los alimentos que habían cultivado o cazado.

Después se construyeron escuelas. Casi siempre había sólo un maestro en la escuela. Niños de todas las edades estudiaban juntos en el mismo salón de clases. Muchos de ellos iban a la escuela desde muy lejos cada día. Llevaban su almuerzo en una canasta. Cuando llegaban a la escuela se calentaban en la gran estufa del único salón de clases.

Los niños pioneros estaban demasiado ocupados para ir a la escuela todos los días. Tenían que quedarse a ayudar cuando había mucho trabajo en casa. El año escolar era por lo general muy corto.

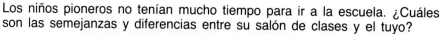

Los niños pioneros no tenían mucho tiempo para ir a la escuela. ¿Cuáles son las semejanzas y diferencias entre su salón de clases y el tuyo?

Preguntas

1. ¿Quiénes fueron los primeros pobladores de América del Norte?

2. ¿Qué sucedió cuando terminó la guerra de los colonos contra Inglaterra?

3. ¿Por qué era difícil la vida de los pioneros?

4. ¿Qué diferencias hay entre tu vida y la de un pionero?

Aplicación de destrezas de lectura
Idea principal y detalles que la justifican

Busca los párrafos siguientes de "La gente levanta comunidades". Luego, copia el esquema y añade la información que falta.

1. Primer párrafo, después de "Muchas culturas diferentes"

   IDEA PRINCIPAL:
   DETALLES QUE   Las tribus hacían sus casas con los
   LA JUSTIFICAN: materiales que tenían cerca.

2. Primer párrafo, después de "Los colonos vinieron de muchos países"

   IDEA PRINCIPAL: Las primeras colonias de América del Norte fueron fundadas por españoles.
   DETALLES QUE
   LA JUSTIFICAN:

TABLAS

A veces, el escritor te quiere dar mucha información. La información puede consistir en detalles y datos. Si toda esa información estuviera escrita en un solo párrafo, sería difícil de recordar. Una manera rápida y fácil de dar esa información es usar **tablas**.

ACTIVIDAD A Esta tabla muestra algunas ciudades y su número de habitantes a lo largo de muchos años. Mira la tabla y luego contesta las preguntas en tu papel.

Número de habitantes en algunas ciudades del Este de los EE.UU.				
	1790	1850	1900	1950	1980
Baltimore	13,503	169,054	508,957	949,708	786,775
Boston	18,320	136,881	560,892	801,444	562,994
Louisville	200	43,194	204,731	369,129	298,451
Norfolk	2,959	14,326	46,624	213,513	266,979

1. ¿Qué ciudad era la menos habitada en 1790?
2. ¿Qué ciudad era la menos habitada en 1980?
3. Apunta tres ciudades cuyo número de habitantes bajó entre los años 1950 y 1980.
4. ¿Qué ciudad era la más habitada en 1790?
5. ¿Cuántos años pasan entre la primera y la última fecha?

ACTIVIDAD B Esta tabla muestra algunas de las colonias que había en los Estados Unidos antes del año 1700. Estudia cada columna y la información que te da. Luego, contesta las preguntas.

Colonias en los EE.UU. antes de 1700			
Colonia	Origen de los colonos	Nombre del estado ahora	Año
El Paso	español	Texas	1659
Jamestown	inglés	Virginia	1607
New Amsterdam	holandés	Nueva York	1623
New Haven	inglés	Connecticut	1636
New Plymouth	inglés	Massachusetts	1620
Salem	inglés	Massachusetts	1628
Santa Fe	español	Nuevo México	1609
San Agustín	español	Florida	1565

1. ¿En qué estados había colonos de origen español?
2. ¿En qué estados había colonos de origen inglés?
3. ¿De qué países venían los colonos?

Mi PRiMERA

SARA POOT HERRERA

Hace muchos años, los ranchos no eran solamente lugares de trabajo. Muchas familias vivían en ellos y eran pequeñas comunidades. Algunos ranchos quedaban muy lejos del pueblo. Era difícil para los niños ir a la escuela. Por eso, empezaron las escuelas en los ranchos. Ahora, vamos a leer la historia de la escuela del rancho "La florecita".

El camioncito sube por el cerro. Se para de vez en cuando porque las llantas se llenan de lodo. El lodo es de color rojo y pinta todo de rojo.

MAESTRA

Mi familia y yo regresamos al rancho donde vivimos. Vamos en la parte trasera del camión de carga. Ahí va toda la gente que viene cada domingo a la ciudad a comprar las cosas para la semana.

A mi lado va una muchacha. La vi cuando subí al camión. Era imposible no verla. "Es muy joven", pensé, "¿tendrá la misma edad que mi hermana?" Tímidamente saluda a todos y ocupa su lugar en el camión. Sube con su equipaje: una maleta y una caja. Yo la veo, pero parece que nadie más se da cuenta de su presencia. Después supe que todos la vieron desde ese primer momento.

No sé quién es, pero ¡cómo me gustaría
conocerla! Me fijo en ella y muchas veces veo que
observa a los niños que van en el camión.

El camión sigue subiendo por la cuesta dando
vueltas. Volteo para abajo. Ahí queda la pequeña
ciudad donde estábamos hace un rato. Se ven las
tejas rojas de los techos y las huertas de limas y
naranjas.

¡Qué bueno llegar al pueblo de mis tíos! Allí
vamos a pasar la noche. Mañana a primera hora
nos iremos al rancho.

La muchacha que está en el camión se va a la
escuela con el profesor y su esposa. ¿Quién será?
¿Será una maestra que viene a trabajar aquí? ¡Cómo
me gustaría vivir en este pueblo! Aquí sí hay
escuela. En cambio, en el rancho donde vivo, nunca
hemos tenido y hay tantos niños allí. Tenemos que
venir a la escuela de este pueblo para estudiar.
Ojalá que algún día tengamos nuestra propia
escuela y ojalá sea pronto.

Llegamos a casa de mis tíos. Les pregunto si conocen a la muchacha que llegó con nosotros en el camión. Les digo cómo es, pero nadie la conoce. Esa noche, mis primos me enseñan los libros que verán este año. ¡Qué bonitos son! Me duermo soñando con esos libros, cuadernos, colores . . .

Amanece. Empezamos el viaje al rancho. Nos vamos a pie, a veces por el camino, a veces por los potreros. En la ruta, nos encontramos a varios niños, al maestro del pueblo donde estuvimos y a la muchacha que venía en el camión. Todos nos saludamos.

—Buenos días —dice el maestro—. Ustedes también van a "La florecita", ¿verdad? Ahí vamos nosotros. Vamos a llevar a la maestra.

—Buenos días —nos dice ella—. Creo que ayer viajamos juntos.

¿La maestra? ¿La maestra de "La florecita"? No puedo creerlo. Es nuestra maestra. ¡Qué felicidad! Caminamos muy contentos, entre bromas y risas.

Esa noche no puedo dormir. Ya quiero que amanezca para ir a la escuela.

Muy temprano llegamos a casa del comisario, que es la autoridad del rancho. Allí van los padres de familia para inscribir a sus hijos.

Empieza a llegar la gente. Nunca había visto reunidos a tantos niños y niñas.

—Señor, ¿cómo se llama su hijo? ¿Cuántos años tiene? ¿Ha asistido a la escuela del pueblo?

Se han inscrito muchos niños. Mañana comienzan las clases. En el rancho no se habla de otra cosa: ya tenemos maestra, ya tenemos escuela.

A las ocho en punto del día siguiente se abre la escuela. Es septiembre, la milpa está muy verde, hay elotes por todas partes. El piso del lugar donde van a darse por lo pronto las clases es de tierra; las paredes son de adobe.

Cada uno de nosotros llega con su silla. Somos tantos que la maestra nos dice que los más chiquitos irán por la mañana, y los demás iremos por la tarde.

178

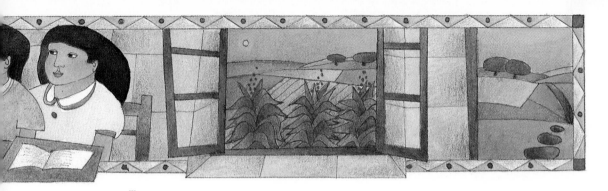

La maestra nos reparte los libros. Los saca de la caja que traía en el camión. Estos libros nos ayudarán a aprender muchas cosas. ¡Qué bonitos están!

Todos estamos felices. Felices y nerviosos. Nosotros estamos nerviosos porque es nuestro primer día de clases.

Entre todos acomodamos las sillas y la mesa. Nos empezamos a conocer más. Abrimos nuestros libros, gustosos porque encontramos en sus páginas a otros niños que son como nosotros.

Aparecen en el pizarrón las primeras expresiones, las primeras palabras, las primeras letras. Algunos tienen que aprender a leer y escribir para saber lo que dicen nuestros libros. Yo sé leer y escribir un poquito. Me enseñó mi mamá. ¿Querrá la maestra que la ayude por las mañanas?

Ese primer día aprendemos versos como éste:

¡Qué alegre y fresca la mañanita!
me agarra el aire por la nariz;
los perros ladran, un chico grita
y una muchacha gorda y bonita,
junto a una piedra, muele maíz.

Decimos adivinanzas:

Tito tito capotito
sube al cielo y pega un grito.

—¡El cohete! —gritan unos niños.

Y empezamos con nuestras lecturas y escrituras. Tenemos lápices de colores, papel donde pintar y tijeras para recortar.

¡Qué bonito día! ¡Qué rápido pasa! Ya somos amigos. Tendremos un lindo año escolar. Al salir de la escuela, le digo a la maestra que quiero ir a clases por la mañana y por la tarde: que sé leer un poquito, que la puedo ayudar. Ella dice que sí.

Por los caminitos del campo pasan por primera vez muchos niños con sus libros. Los llevamos con orgullo y con amor. En nuestras casas nos espera nuestra familia. Todos quieren saber qué pasó en la primera clase.

A partir del día siguiente, la escuela se abre de mañana y de tarde. Tanto la mañana como la tarde pasan muy rápidamente, entre letras, canciones y cuentos. El mundo se acerca a nosotros, y nosotros nos acercamos al mundo.

Me cuesta trabajo pensar que la maestra que tanto nos enseña, que juega y baila con nosotros, que es amiga de todos . . . que esta maestra sea aquella muchacha tímida que vi aquella tarde de lluvia.

Todos los niños trabajamos mucho en las clases con la maestra. El resto del rancho ayuda en la construcción de la escuela. Don Matías dona el terreno; José presta su camión para traer materiales; doña Luisa hace la comida para los que trabajan ahí. Todos ayudan.

Muchas veces a la hora del recreo, o cuando salimos de clases, ayudamos también: a limpiar el terreno, a recoger piedras. Mientras tanto, seguimos en nuestra escuelita provisional.

¡Cómo ha cambiado la vida del rancho! Por las tardes y los fines de semana parece que hay fiesta. Todos se reúnen a trabajar en la escuela, y todo gira alrededor de ella.

Los comentarios de los papás y las mamás son:

—Mi hija dibuja muy bien.

—Ayer Juanito nos contó una leyenda.

—Compadre, ayer mi hijo me preguntó cuándo se fundó este rancho. ¿Usted lo sabe?

—Mi hijo más chiquitito ya sabe leer . . .

Con nuestra maestra, organizamos paseos. Hacemos fiestas para celebrar un hecho histórico. Visitamos a veces otras escuelas. Cada lunes rendimos honores a la bandera. Cantamos el himno nacional. ¡Cuántas cosas ya sabemos hacer!

Poco antes de que termine el año escolar, ya está lista nuestra escuela. Es una escuela chiquita de ladrillos blancos y rojos, con un pequeño jardín que hicimos entre todos los niños.

Es el día de la inauguración. Todo el rancho está reunido. Unos niños leen versos que escribieron en la escuela. La gente grande toma la palabra y platica sus experiencias. La mirada de la maestra está llena de alegría.

Los siguientes días de clases son en la nueva escuela. Nadie quiere que las clases terminen. Queremos seguir en la escuela con ese olor a nuevo que tanto nos gusta.

182

Es septiembre de nuevo. Hoy llega nuestra maestra, pero no se quedará con nosotros. Se irá a una escuela de la pequeña ciudad donde la vi por primera vez.

Ella nos presenta a la nueva maestra. Todos le damos la bienvenida. Nos despedimos de nuestra primera maestra. No queremos ponernos tristes, pero tenemos que secarnos unas lagrimitas a la hora que se va.

Han pasado varios años. Ya soy maestra y trabajo en la escuela que fundamos aquí. Hoy llegaron las cajas de los libros para los niños. Leo el nombre de los autores. Ahí está el nombre de mi maestra. La recuerdo y me pongo a escribir esta pequeña historia. Ya no es maestra de un solo grupo. Ahora, hace libros para los niños de mi país.

Preguntas

1. Antes de que se abriera la escuela, ¿dónde estudiaban los niños del rancho?

2. A la hora de recreo, ¿cómo ayudaban los niños a construir la escuela?

3. ¿Por qué crees que la niña del cuento quería ir a clases por la mañana y por la tarde?

4. Si tú hubieras sido la niña del cuento, ¿qué habrías hecho para que la maestra nueva se sintiera cómoda?

Aplicación de destrezas de lectura
Predecir resultados

Usa oraciones completas para contestar las preguntas sobre "Mi primera maestra".

1. ¿Por qué pensaste que la señorita que iba en el camión era la primera maestra del pueblo?

2. Sabes que a la persona que cuenta la historia le gustaría ir a la escuela. ¿Qué pistas te ayudaron a saberlo?

3. ¿Crees que los niños echarán de menos a la primera maestra?

184

SARA POOT HERRERA

Sara Poot Herrera nació y creció en México. Su madre era maestra y le enseñó muchas cosas. Cuando tenía dieciséis años, ella, igual que su madre, fue a trabajar como maestra en un rancho de Jalisco. Allí no había escuela y algunos niños no sabían ni leer ni escribir.

Más de cien niños fueron a clase. Como algunos sabían más que otros los dividieron en grupos. Los más pequeños aprendían por la mañana y los más grandes, por la tarde.

La autora aprendió muchas cosas de los niños durante ese tiempo que trabajó con ellos. Mientras les enseñaba, hablaba con ellos, les contaba cuentos y les enseñaba nuevos juegos. Desde entonces, Sara Poot Herrera decidió dedicarse a la enseñanza. Continuó sus estudios en el Colegio de México. Fue maestra y profesora en muchas escuelas. Años más tarde, estuvo encargada de una serie de libros de enseñanza. Estos libros son leídos por todos los niños y maestros de su país.

Ruedas de carreta

Barbara Brenner

En 1862, el gobierno de Estados Unidos aprobó el
Acta Homestead. Esta ley daba tierra gratis a cualquier
persona que quisiera colonizar el Oeste. Cuando la noticia
se supo, miles de pioneros se fueron del Sur. Muchos se
fueron a Kansas. Ésta es la historia real de una de esas
familias: los Muldie.

186

—Hemos llegado, muchachos —dijo papá—. Al otro lado del río está Nicodemus, Kansas. Allí vamos a construir nuestro hogar. Aquí en el Oeste hay tierra gratis para todo el mundo. Sólo hay que llegar y tomarla.

Habíamos viajado desde Kentucky para llegar a Kansas. El viaje había sido duro y, además, triste. Mamá había muerto durante el viaje y sólo quedábamos nosotros cuatro: papá, Willie, Hermanito y yo.

—¡Vamos, muchachos! —gritó papá—. ¡Vamos a poner pie en tierra gratis!

Cruzamos el río con la carreta y todo lo demás. Al otro lado nos esperaba un hombre.

—Soy Sam Hickman —dijo—. Bienvenidos al pueblo de Nicodemus.

—Gracias, hermano —dijo papá—. Pero, ¿dónde está el pueblo?

—Aquí mismo —contestó el señor Hickman.

No veíamos ni una sola casa. Pero salía humo de unos agujeros que había en la pradera. Papá dijo: —Las madrigueras son para los conejos y las serpientes, pero no para negros libres. Yo soy carpintero y puedo construir buenas casas de madera para este pueblo.

—No queda tiempo para construir casas —dijo el señor Hickman—. Viene el invierno, que es muy duro en Kansas. Háganse una zapa, o sea, un refugio bajo tierra, antes de que la tierra se congele.

Papá sabía que Sam Hickman tenía razón, así que hicimos un refugio con nuestras palas.

No era gran cosa: piso y paredes de tierra, ni una ventana, y un techo de hierba y ramas. Pero nos alegramos de tener nuestro refugio cuando el viento empezó a soplar por la pradera.

Todas las noches Willie encendía la lámpara y hacía un fuego. Yo guisaba un conejo o freía una sartén de pescado fresco del río.

Después de la cena, papá siempre decía: —¿Qué tal si cantamos un par de canciones?

Sacaba su banjo y empezaba: *Plin, plan, plin, plan*. Bien pronto nos sentimos a gusto en el refugio.

Llegó el invierno, que fue especialmente duro en Kansas. Nevaba día tras día y no podíamos ni cazar ni pescar. Ya no comíamos más conejo guisado ni pescado fresco del río. Todo lo que había era atole de maíz.

Un día ya no quedó ni atole de maíz ni ningún otro alimento en todo el pueblo de Nicodemus. No había ni madera para el fuego.

Hermanito lloraba constantemente por el hambre y el frío. Papá lo envolvía en frazadas y le decía:
—Sshh, mi niño . . . a dormir. Las provisiones llegarán pronto.

Pero las provisiones no llegaron, ni ese día ni el siguiente.

Al tercer día oímos caballos. Papá se asomó a ver qué pasaba.
—¡Indios! —exclamó.

Teníamos mucho miedo porque nos habían contado historias acerca de los indios. Traté de ser valiente. Desde el refugio vigilábamos sus movimientos. Todos en Nicodemus observaban a los indios.

Primero, nos rodearon. Luego, cada indio sacó algo de su alforja y lo tiró al suelo. Entonces, se dieron la vuelta y cabalgaron hacia los refugios.

190

—Vienen por nosotros —gritó Willie.

Preparamos los rifles, pero los indios pasaron de largo y siguieron su camino.

Esperamos un buen rato para estar seguros de que se hubieran ido. Entonces, todos corrimos por la nieve a ver qué nos habían dejado.

¡Era *comida*!

Todos hablaban a la vez.

—¡Miren!

—¡Carne de venado fresca!

—¡Pescado!

—¡Frijoles secos, calabazas y leña para nuestros fuegos!

Esa noche hubo fiesta en Nicodemus, pero antes de comer, papá nos dijo: —Johnny, Willie, Hermanito, quiero que recuerden siempre este día. Cuando alguien hable mal de los indios, díganle que los indios osage nos salvaron la vida en Nicodemus.

191

Al llegar la primavera, papá nos dijo:

—¡Muchachos, esta pradera es muy llana para mí. Me marcho a buscar tierras con árboles y colinas. Ustedes tienen casa y amigos aquí: quiero que se queden. Les avisaré cuando encuentre el lugar adecuado.

Todos escuchábamos a papá mientras hablaba:

—Aquí hay harina de maíz para el pan, sal para la carne y melaza para dulces. Pórtense bien. Cuiden a Hermanito y nunca lo pierdan de vista.

Papá lloraba cuando nos dijo adiós.

Hicimos lo que papá nos dijo. Cazábamos, pescábamos, cocinábamos y limpiábamos el refugio.

Hasta hacíamos nuestro propio pan de maíz. A Hermanito le hicimos una carreta con una caja vieja. La señora Sadler nos dio las ruedas. Montábamos a Hermanito en la carreta y lo llevábamos siempre con nosotros. Uno podía oír las ruedas chirriar a una milla de distancia.

Cuando los habitantes de Nicodemus oían ese ruido, siempre decían: —Por ahí van los Muldie.

Abril, mayo y junio pasaron. Cazábamos, pescábamos y esperábamos la carta de papá. Pero no llegaba.

En julio, el cartero llegó a caballo con una carta para nosotros. Decía así:

Queridos hijos:

He encontrado buenas tierras cerca de la ciudad de Solomon. Hay madera para construir una casa y terreno fértil para cultivar maíz y frijoles.

Les envío un mapa que muestra dónde estoy y dónde están ustedes. Sigan las indicaciones del mapa. No se alejen del río Solomon hasta que lleguen a una vereda de venados.

Me encontrarán. Yo sé que pueden hacerlo, porque ya son unos auténticos hombrecitos.

Abrazos para todos, Papá

Al día siguiente metimos pan de maíz y frazadas en la carreta de Hermanito hasta que no cupo ni él.

—¿Puedes caminar como un niño grande? —le pregunté.

Él dijo que sí.

Todo Nicodemus vino a despedirnos.

—Pobres pequeñines —decían—. ¡Ciento cincuenta millas de viaje ellos solos!

Pero sabíamos que podíamos hacerlo porque papá nos lo había dicho. Fuimos al río y seguimos las indicaciones del mapa. Caminamos todo el día. Cuando Hermanito se cansó, lo cargué en brazos.

Por la noche paramos e hicimos un fuego. Le dije a Willie: —Nos turnamos. Primero yo vigilo el fuego y tú duermes. Dispara de vez en cuando para espantar a los animales salvajes.

Había muchos animales salvajes en la pradera: lobos, panteras y coyotes. Todas las noches el fuego y el ruido del rifle los espantaban.

Una noche oí a Willie que me llamaba.

—Johnny, despiértate, pero no te muevas.

Cuando abrí los ojos, vi una serpiente de cascabel de la pradera en el suelo, a mi lado. Se calentaba junto al fuego.

No me moví. Ni siquiera *respiraba* por temor de que me mordiera.

—¿Qué hacemos? —susurró Willie.

Traté de pensar en lo que haría papá. Recordé que él me había dicho una vez que a las serpientes les gustan los lugares calientes.

—Deja que el fuego se apague —le dije.

Me pareció que Willie, Hermanito y yo pasamos *horas* allí inmóviles. Por fin se apagó el fuego. El aire de la noche se enfrió y la serpiente se alejó hacia la oscuridad.

195

Seguimos por la orilla del río durante veintidós días, hasta que llegamos a una vereda de venados. Se alejaba del río, como lo indicaba el mapa.

—Síganme —les dije a mis hermanos.

Caminamos por la vereda hacia una colina. En la falda de la colina vimos una casita con un jardín delante. Vimos un campo de maíz y a un hombre que salía de la casa. Cuando nos vio, comenzó a correr hacia nosotros.

—¡Papá!

—¡Willie, Johnny, Hermanito!

Y entonces hubo tantos abrazos, besos, palabras, llanto, risas y canciones que . . . ¡seguro que nos oyeron hasta en Nicodemus!

Y seguro que la señora Sadler dijo: —¡Parece que los Muldie han encontrado a su papá!

196

Preguntas

1. ¿Por qué los Muldie tuvieron que construir un refugio bajo tierra para vivir?

2. ¿Cómo se sintió la gente de Nicodemus al ver que los indios osage les llevaron comida?

3. ¿Por qué crees que el papá de los Muldie los dejó en Nicodemus cuando fue a buscar tierra?

4. Dibuja un mapa que muestre cómo llegar desde el centro de tu pueblo o ciudad hasta tu casa. Escribe el nombre de las calles y los lugares que conoces.

Aplicación de destrezas de lectura
Resumir

Lee el párrafo siguiente. Luego, escribe un resumen del párrafo. Usa tus propias palabras.

A Hermanito le hicimos una carreta con una caja vieja. La señora Sadler nos dio las ruedas. Montábamos a Hermanito en la carreta y lo llevábamos siempre con nosotros. Uno podía oír las ruedas chirriar a una milla de distancia.

El río

Yo soy un río
voy bajando por
las piedras anchas,
voy bajando por
las rocas duras,
por el sendero
dibujado por el
viento.

Javier Heraud

FELIPE Y FILOMENA

Genevieve Gray

Cuando los colonos luchaban contra Inglaterra
por la independencia, buena parte de América
todavía estaba sin colonizar. Las tierras que había
al oeste del río Misisipi eran de España o Francia.
En el siglo XVIII, gente de México pobló la tierra
que hoy es California. Este cuento narra la historia
de uno de esos grupos de pobladores.

Felipe vivía con el tío Carlos, la tía María y seis primos. Filomena, una burrita, era su amiga. Ella hacía mucho ruido, pero era demasiado pequeña para trabajar en la hacienda.

El tío Carlos había sembrado maíz, pero la tierra no era buena. Muchas veces Felipe y sus primos pasaban hambre. Casi todo el mundo de ese pueblo de México pasaba hambre.

Un día, en la plaza, Felipe y Filomena oyeron a un militar que le hablaba a la gente.

—Soy el coronel Anza —les decía—. El virrey de México necesita treinta familias para colonizar California. La tierra de allá es magnífica para las haciendas y los ranchos.

—Cada familia recibirá ropa, comida, caballos y animales . . . todo gratis. California está a cuatro meses a caballo. Mis soldados y yo los llevaremos allí. ¿Quién quiere ir?

—¿Alimentos? ¿Ropa? —le susurró Felipe a Filomena, y gritó: —¡Yo, yo iré!

Otros comenzaron a exclamar: —¡Nosotros!

—¡JIIIIJOO . . . iiijooo! —Filomena rebuznó tan fuerte que los caballos se encabritaron.

—¡Saquen a ese burro de aquí! —exclamó el coronel Anza.

Felipe fue a darle la noticia al tío Carlos.

—California está muy lejos . . . —dijo su tío—, pero necesitamos los alimentos y la ropa.

Y así fue como se alistaron.

Finalmente todo estaba listo. El coronel Anza iba al frente de la caravana. Detrás de él cabalgaban los soldados. Los seguían las familias y más soldados. Atrás iba Filomena.

Felipe iba a caballo. Buscaba a Filomena por todas partes. Entonces oyó que ella lo llamaba:

—¡JIIIIIJOO . . . ii . . . Jo . . . jii . . . Jo!

Los caballos tiraron de las riendas, las mulas echaron la carga y el ganado corrió hacia la maleza.

La caravana se detuvo.

—¡Ese burro se tiene que ir! —gritó el Coronel. Pero nadie lo oyó porque todos estaban ocupados en recoger a los animales.

El coronel Anza se detuvo junto a un arroyo y dijo: —Acamparemos aquí esta noche.

Los hombres descargaron las mulas y levantaron carpas. Las mujeres encendieron el fuego para la cena. Los niños se fueron a jugar al bosque.

Felipe buscó a Filomena. Estaba comiendo hierba entre las mulas.

—Te quiero mucho, Filomena —le susurró.

Ella puso su cabeza sobre el pecho de Felipe.

A la mañana siguiente uno de los soldados tocó la corneta para despertar a los otros. Filomena cantó con él: —¡JIIIJO . . . Jiiijo . . . Jii . . . Joo!

Todo el mundo se puso en pie de un salto. Se rió el Coronel: —Para algo sirve ese burro.

De ahí en adelante, le tocó a Filomena cantar todas las mañanas. Felipe estaba orgulloso. Hasta el tío Carlos parecía contento.

Algunos días después, llegaron a un paso de montaña. Rocas altísimas los rodeaban por todos lados. El Coronel temía un ataque de los indios.

—Los apaches nos deben de estar buscando.

Cruzaron el pasaje estrecho. Subieron por un cañón y pasaron sin hacer ruido por un camino muy estrecho. Felipe estuvo toda la noche

esperando a los apaches. Creyó haber visto a unos exploradores, pero sólo eran sombras.

Al amanecer partieron sin desayunarse.

—Para el mediodía estaremos a salvo —dijo el coronel Anza—. Comeremos entonces.

—Espero que California valga la pena —murmuró la tía Adela.

—Si es que llegamos —dijo el tío Carlos.

Viajaron durante semanas, recorriendo millas y más millas de desierto. Finalmente llegaron a un río. Vivían indios en la orilla.

—Éstos son indios pima —dijo el Coronel—. Son amigos.

Los indios trajeron comida. La caravana estuvo allí tres días. Felipe llenaba barriles de agua y cuidaba los animales. Un día los indios dieron una gran comida. Felipe comió maíz y frijoles. Cortó un trozo de sandía para Filomena, pero a ella no le gustó.

205

La caravana continuó por el desierto. El viento frío levantaba arena y polvo. Casi no quedaba agua, ni pasto para los animales. Sólo Filomena encontró unas cuantas hierbas para comer.

Hacía tanto frío que Felipe y Filomena dormían juntos para darse calor. Los otros animales pasaban toda la noche de espaldas al viento. Tenían hambre y frío.

Una mañana, Felipe vio nueve mulas muertas. El coronel Anza dijo tristemente: —Sin agua ni comida, es un milagro que quede alguna con vida.

Felipe caminaba junto a su caballo cansado. El viento frío le picaba la cara. Veía a los animales caer muertos de hambre.

Esa noche, el tío Carlos dijo: —Hay que hacer agujeros en el río seco y sacar agua para los animales.

Felipe le dijo a Filomena: —Tengo que ayudar a los hombres, pero tú no pasarás frío.

Y les preguntó a sus primos: —¿Quién quiere dormir con Filomena?

—¡Yo! —exclamaron todos.

Felipe vio algo extraño y preguntó: —¿Qué es eso?

—Nieve —dijo el coronel Anza—. Nunca viste nieve en México.

Esa noche, alrededor de unas fogatas, se envolvieron en frazadas. Aun así tenían frío.

A la mañana siguiente, el cielo estaba claro. A lo lejos, Felipe vio montañas cubiertas de nieve.

—¡California no es otra cosa que hielo y nieve! —se quejó el tío Carlos—. ¡En nuestro pueblo éramos pobres, pero no pasábamos frío!

Pero Felipe sentía el sol tibio caer sobre sus hombros.

—¡Mira! —exclamó su primo Rubén—. ¡La nieve se está derritiendo un poco!

—¡JIIIIJO . . . iiii . . . Joo! —rebuznó Filomena.

Las montañas estaban a un paso. Filomena olía el agua que brotaba de las fuentes naturales. Olía la hierba de invierno que crecía en los valles. Los caballos caminaron más deprisa.

Esa tarde, llegaron a la falda de las montañas. Allí había agua para todos y pasto fresco para los animales.

—¡Ya estamos! —gritó Felipe. Ayudó a descargar los cansados animales.

—Ya pasamos lo peor —exclamó el coronel Anza—. El resto será fácil.

Descansaron por una semana. Entonces, subieron a las montañas. Por todas partes crecían árboles y hierba verde. Felipe descubrió girasoles y uvas

silvestres. El sol brillaba en el río y los peces abundaban.

—¿Pero dónde está California? —preguntó Felipe.

—¡Estamos en California! —respondió el coronel Anza—. Casi estamos en San Gabriel.

—¡Mira cómo ha crecido Filomena! —exclamó Rubén.

—¡Su lomo ya llega a la cabeza de Felipe! —dijo la tía María.

—¡JIIIIJO . . . ijoo! —cantó Filomena con orgullo.

Dejó que Felipe se montara en su lomo. Sus músculos ya estaban fuertes. Trotó dando vueltas.

—¡Nuestro vaquero ya tiene caballo! —exclamó el tío Carlos.

—¡Filomena podrá ayudar a transportar los maderos para construir nuestra casa! —dijo Rubén.

—¡Y podrá arar! —añadió el tío Carlos.

—¡Con calma! —advirtió la tía María—. ¡No cansen demasiado a nuestra amiguita!

Y le tocó con cariño la nariz a Filomena.

Salieron finalmente de las montañas. Vieron lomas verdes que bajaban suavemente hacia el mar. Los padres de la Misión de San Gabriel salieron a recibirlos.

—Por fin llegamos a casa —le susurró Felipe a Filomena.

Y Filomena cantó: —¡JIIIJOOO . . . iiooo . . . iioo!

El cuento que acaban de leer está basado en un hecho real. El coronel Juan Bautista de Anza fue enviado a abrir una ruta por tierra desde México hasta el territorio que hoy es California. Pobladores como los de este cuento salieron de México en abril de 1775 y llegaron a San Gabriel en enero de 1776. El coronel Anza regresó después a México, pero las familias se quedaron en California. Sus descendientes todavía viven allí.

210

Preguntas

1. ¿Qué dijo el coronel Anza que recibirían las familias que se fueran a California?

2. ¿Por qué el coronel Anza cambió de opinión sobre Filomena?

3. ¿Cuál crees que fue la parte más difícil del viaje? Explica tu respuesta.

4. ¿Cómo te sentirías si tuvieras que mudarte? ¿Qué cosas echarías de menos? ¿Qué cosas esperarías encontrar?

Aplicación de destrezas de lectura
Argumento y ambiente

Usa oraciones completas para contestar las preguntas siguientes.

1. ¿En qué ambiente tiene lugar el cuento?

2. ¿Cuándo tiene lugar el cuento?

3. Si le contaras el cuento a un amigo, ¿qué sucesos importantes del argumento le describirías?

RESEÑA DE UN LIBRO

Antes de escribir

Las reseñas describen lo que pasa en un relato y hacen que la gente quiera leer el relato. Muchas veces las reseñas hablan de los personajes y dan las ideas principales del argumento. Un tipo de reseña muy interesante cuenta la historia desde el punto de vista de uno de los personajes.

Vas a escribir una reseña sobre "Felipe y Filomena". Puedes contar la historia como si fueras Felipe o Filomena. Vuelve a leer el relato, y piensa en cómo contarían Felipe o Filomena la historia de su viaje.

Toma apuntes sobre estas ideas antes de escribir.

1. ¿Qué contaría mi personaje sobre los otros personajes del relato? Filomena podría decir: "Soy Filomena, la burrita de un niño llamado Felipe. Felipe, su familia y yo vivimos en un pueblo de México en el siglo XVIII".
2. ¿Cómo contaría mi personaje la visita del coronel Anza al pueblo?
3. ¿Cómo contaría mi personaje el viaje?
   a. ¿Cuál fue la parte más emocionante del viaje?
   b. ¿Qué pasó antes de eso?
   c. ¿Qué pasó después de eso?

Escribir

1. Vuelve a leer los apuntes para tu reseña.
2. El primer párrafo hablará de los personajes. Recuerda que tienes que escribir como si fueras uno de esos personajes. Usa palabras como *yo*, *mi*, *mío*, *nuestro*.
3. Los otros párrafos hablarán del viaje.
4. Trata de usar las Riquezas de Vocabulario.
5. Ahora, escribe la primera versión de tu reseña.

RIQUEZAS DE VOCABULARIO	
fértil	habitar
abundar	asustado

Revisar

Lee tu reseña. Pídele a un amigo que también la lea. Piensa en lo siguiente cuando la revises.

1. Una reseña debe hacer que la gente quiera leer el relato. ¿Contaste demasiadas cosas? ¿Qué podrías sacar, dejando las ideas principales?
2. Si cuentas algunas cosas graciosas, tu reseña será más interesante. ¿Qué le haría gracia a Filomena? ¿Y a Felipe?
3. ¿Pusiste adjetivos que dan una idea clara del viaje?
4. Revisa la ortografía y el uso de las mayúsculas.
5. Ahora, vuelve a escribir tu reseña. Luego, se la vas a leer a los otros estudiantes.

LA HISTORIA DE

PAUL BUNYAN

Barbara Emberley

Ésta es la historia de un hombre que era tan grande y tan fuerte que podía mover todo un pueblo. Tal vez la historia exagere las cosas; pero por eso se llama cuento exagerado. Los cuentos exagerados vienen de los leñadores. Ellos los contaban cuando viajaban de un campamento a otro. La historia de este leñador, Paul Bunyan, puede ser la más exagerada de todas.

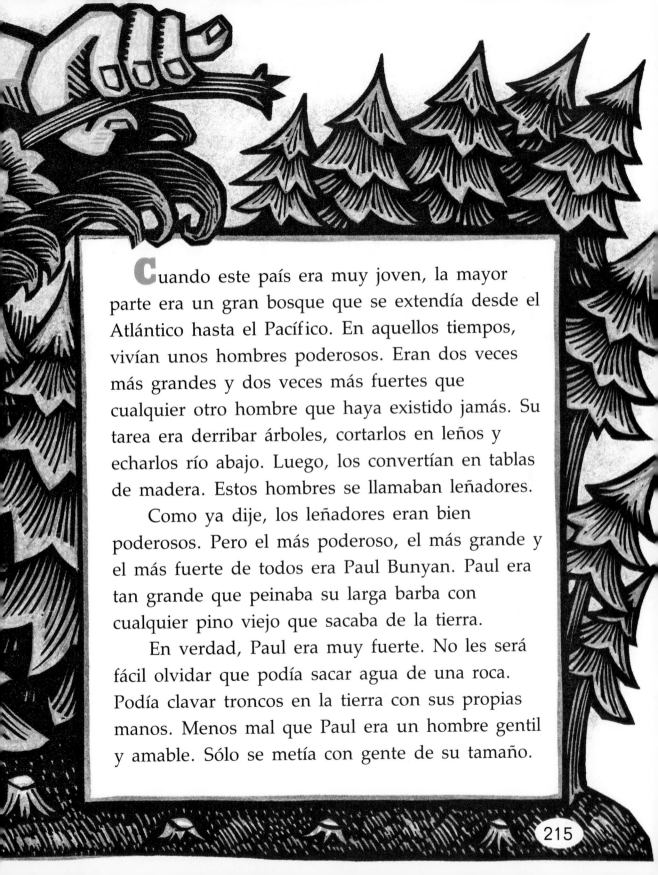

Cuando este país era muy joven, la mayor parte era un gran bosque que se extendía desde el Atlántico hasta el Pacífico. En aquellos tiempos, vivían unos hombres poderosos. Eran dos veces más grandes y dos veces más fuertes que cualquier otro hombre que haya existido jamás. Su tarea era derribar árboles, cortarlos en leños y echarlos río abajo. Luego, los convertían en tablas de madera. Estos hombres se llamaban leñadores.

Como ya dije, los leñadores eran bien poderosos. Pero el más poderoso, el más grande y el más fuerte de todos era Paul Bunyan. Paul era tan grande que peinaba su larga barba con cualquier pino viejo que sacaba de la tierra.

En verdad, Paul era muy fuerte. No les será fácil olvidar que podía sacar agua de una roca. Podía clavar troncos en la tierra con sus propias manos. Menos mal que Paul era un hombre gentil y amable. Sólo se metía con gente de su tamaño.

Paul empleaba casi toda su fuerza para cortar leños. Un día cavó él mismo un río para transportarlos. Por aquel entonces, Paul cortaba árboles en Minnesota y tenía que llevarlos a un aserradero de Nueva Orleáns. Decidió que usar el río sería lo mejor . . . pero no había un río por allí. Así que Paul se comió un almuerzo ligero de 19 libras de salchichas, 6 jamones, 8 panes y 231 tortillas. Eso era un almuerzo pequeño para Paul, pero pensó que después comería una buena cena. Paul cavó su río esa misma tarde y lo llamó Misisipi. Si no me equivoco, todavía se llama así.

Una vez Paul estuvo a punto de ser demasiado *fuerte* para su propio bien. Pero se salvó por el hecho de ser *astuto*, ¡y menos mal!

Un día Paul estaba cortando todos los árboles del estado de Iowa para los agricultores. Quería hacerlo a tiempo para que ellos plantaran su primera cosecha de maíz. Pero cada vez que trataba de cortar más de seis o siete árboles a la vez, el puño del hacha se rompía. Así fue como tejió un puño con plantas de pantano. Funcionó muy bien, y cortó los árboles de Iowa muy rápido. Así que Paul tuvo también tiempo para cortar los de Kansas.

Cualquiera pensaría que un hombre tan grandote como Paul sería torpe y lento. Pues no, no lo era. De hecho, podía ganarle una carrera hasta a su propia sombra.

Claro que Paul no siempre fue tan grande. Me han contado que doce cigüeñas lo llevaron a su mamá en Kennebunkport, Maine. El bebé sólo pesó unas 104 ó 105 libras. Cuarenta y seis de las libras eran de su barba, una barba negra y rizada.

Paul era un bebé feliz, pero inquieto. Cuando tenía pocas semanas, había aplastado todos los árboles del pueblo. También había aplastado algunos graneros con sus pataditas. Por eso, los hombres de Kennebunkport le hicieron una enorme cuna de troncos. Anclaron la cuna a varias millas de la costa.

Esto le encantó a Paul; pero sus brincos en la cuna causaron unas olas tan enormes que el mar se llevó a Boston. Era uno de los pueblos más grandes de Maine en aquella época. Boston flotó hasta Massachusetts, y allí está todavía.

Cuando Paul creció, buscó todos los libros que se habían escrito. Los llevó a una cueva de Canadá y se los leyó todos. No bien había terminado el último, cuando un copo de nieve fue a parar dentro de la cueva. Era del *azul* más brillante que había visto en su vida.

Nevó y nevó hasta que todo se cubrió de una sábana azul. Cuando dejó de nevar, Paul decidió dar un paseo.

Iba por las cataratas del Niágara. Vio un enorme rabo azul de buey que salía de la nieve. ¿Y qué encontró al otro extremo del enorme rabo azul? ¡Un enorme buey azul! La nieve había pintado aquel buey de *azul* de pies a cabeza.

Hay quien dice que cuando la nieve azul se derritió, se convirtió en unos lagos muy azules. Se llaman los Grandes Lagos. Pero uno no puede creer *todo* lo que le dicen.

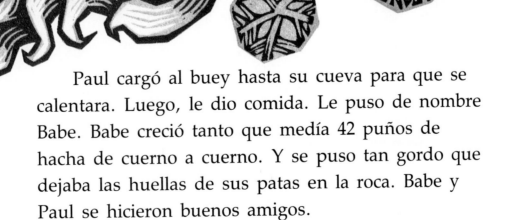

Paul cargó al buey hasta su cueva para que se calentara. Luego, le dio comida. Le puso de nombre Babe. Babe creció tanto que medía 42 puños de hacha de cuerno a cuerno. Y se puso tan gordo que dejaba las huellas de sus patas en la roca. Babe y Paul se hicieron buenos amigos.

Como tenía un gran buey azul de ayudante, era lógico que decidiera ir a cortar leña. Algunos de los hombres más grandes del bosque trabajaban con él. Hasta el muchacho de los mandados medía 12 pies. Pero todo el mundo lo fastidiaba porque era muy pequeño para defenderse.

Los trabajadores de la cuadrilla de Paul vivían en una barraca. Tenía la chimenea puesta en bisagras. Así la podían abrir para dejar pasar el sol. Había un comedor tan largo que los meseros tenían que andar a caballo. La sartén era tan y tan grande que un buen corredor tardaba cuatro días en recorrerla. Antes de freír, seis hombres patinaban sobre ella con tocino amarrado a los zapatos. Lo hacían durante tres días.

Paul montó todos sus edificios en patines. Luego los enganchó a Babe. Se dedicaron a ir de un lado a otro por este gran país cortando los árboles. Lo hicieron en el Oeste para que el ganado pudiera pastar. Cortaron los árboles de Kansas para plantar trigo y los de Iowa para plantar maíz. Éstos son sólo ejemplos de los estados en que trabajaron.

Cuando Paul y Babe terminaron su tarea, se metieron en el bosque. Allí durmieron una buena y larga siesta. Según se dice, todavía siguen descansando.

Preguntas

1. ¿Cuál era el trabajo de los leñadores?

2. ¿Por qué Paul y Babe se hicieron grandes amigos?

3. ¿Qué parte de este cuento crees que exagera más las cosas?

4. Ya conoces algunas de las cosas que se dice que hizo Paul Bunyan. Escribe alguna otra cosa que Paul podría haber hecho. Describe cómo la habría hecho.

Aplicación de destrezas de lectura
Resumir

Lee los párrafos siguientes. Luego, escribe un resumen de cada uno. Usa tus propias palabras.

1. Cualquiera pensaría que un hombre tan grandote como Paul sería torpe y lento. Pues no, no lo era. De hecho, podía ganarle una carrera hasta a su propia sombra.

2. Vio un enorme rabo azul de buey que salía de la nieve. ¿Y qué encontró al otro extremo del enorme rabo azul? ¡Un enorme buey azul! La nieve había pintado aquel buey de *azul* de pies a cabeza.

¡QUÉ EXAGERADO!

En "La historia de Paul Bunyan", el autor decía que "Paul era tan grande que podía mover todo un pueblo". ¿Lo crees?

Naturalmente, el autor exageraba. *Exagerar* quiere decir "describir las cosas de modo que parezcan más grandes o más importantes de lo que son". Muchas veces, los autores exageran para que sus historias sean más interesantes y divertidas.

¿Cuáles de las siguientes oraciones son exageraciones?

1. Hace mucho frío por la mañana.
   Hace tanto frío por la mañana que si sales a la calle te quedas allí congelado hasta la primavera.

2. Ese señor tiene las piernas tan largas que puede saltar ríos.
   Ese señor tiene las piernas muy largas.

Escribe tu propio cuento exagerado sobre un amigo imaginario. Las siguientes oraciones te ayudarán.

Mi amigo vive en un lugar tan_____ que _____.
Allí llueve tanto que _____.

PREDECIR RESULTADOS

A veces, antes de leer el final de un cuento ya sabes cómo va a terminar. Cuando crees que lo sabes, estás "prediciendo el resultado" del cuento.

ACTIVIDAD A Lee el párrafo que aparece abajo. El cuento no ha acabado. Todavía tiene que pasar algo.

Paul Bunyan era un hombre muy grande. Como no cabía en las casas de mucha gente, tenía que quedarse fuera. Un día, fue a visitar a unos amigos enfrente de la casa donde vivían. Empezó a llover. Paul arrancó el tejado de la casa.

¿Cómo crees que terminará el cuento? Escoge una de las respuestas siguientes. Escríbela.

a. Paul Bunyan aguantó el tejado encima de todos como si fuera un enorme paraguas.
b. Paul Bunyan se fue corriendo con el tejado.

ACTIVIDAD B Ahora, lee los trozos de cuento de esta página. Piensa en cómo terminaría cada cuento. Escoge una respuesta y escríbela.

Cuando oyó que se había descubierto oro en California, Jim Smith se fue de casa. Cruzó dos estados a caballo. Llegó a California por la mañana. Se paró a hablar con la primera persona que vio.

a. Le preguntó al hombre dónde había oro.
b. Jim cambió su caballo por el del hombre.

Al señor y a la señora Mack les gusta muchísimo su casa. Han vivido en ella muchos años. Compraron un terreno en otro pueblo. Mandaron hacer un gran agujero en la tierra.

a. Luego, pintaron la casa de rojo.
b. Luego, transportaron la casa al otro pueblo.

Babe, el Buey Azul, era el animal más grande que jamás se haya visto. Un día, tenía mucha hambre. Fue a buscar comida. Llegó hasta un enorme prado de hierba.

a. Pasó caminando por el prado.
b. Se comió toda la hierba del prado.

EL PUEBLO QUE SE MUDÓ

Mary Jane Finsand

———————— • ————————

Durante los siglos XVIII y XIX se establecieron muchas ciudades en los Estados Unidos. Esas ciudades surgieron en diferentes lugares por muchas razones. En esta lectura aprenderás cómo creció y se hizo famoso un pequeño pueblo de Minnesota.

———————— • ————————

Hace mucho tiempo Estados Unidos era aún una nación joven. No había ciudades en gran parte del país.

Así era en el norte de Minnesota.

¿Qué había allí? Bosques y lagos. Osos, venados y lobos.

Algunos pensaron que quizá hubiera también oro y plata. No estaban seguros, pero como tenían curiosidad por averiguarlo, se fueron a buscar fortuna.

Algunos de esos hombres se dedicaban a cazar animales para luego vender las pieles en ciudades lejanas. Otros eran leñadores que cortaban árboles para vender la madera.

Otros incluso buscaban oro y plata, pero no encontraron gran cantidad en el norte de Minnesota. Tampoco les fue fácil la vida.

No había pueblos. No había caminos. Los inviernos eran largos y fríos. No era el lugar adecuado para una familia. Los hombres tenían que ir solos.

En agosto de 1891 un ciclón recorrió aquellas tierras deshabitadas. Los vientos eran fuertes y veloces y derribaron muchos árboles grandes.

Bajo tierra, encontraron mineral de hierro. Estaba en las raíces de los árboles caídos y en los agujeros que éstos habían dejado en la tierra. Tal vez no hubiera oro en el norte de Minnesota. Pero en el siglo XIX, el hierro era muy importante.

El hierro aparece en una roca mezclado con otros minerales. En el siglo XIX era muy necesario para construir trenes y vías de ferrocarril.

Al poco tiempo se extendió por todo el país la noticia de que había hierro en Minnesota. Muchos hombres empezaron a llegar para excavar minas.

Uno de esos hombres se llamaba Frank Hibbing. Él sabía que si abría una mina de hierro, iba a necesitar hombres para trabajarla. Ellos querrían llevar a sus familias. Por eso, Hibbing decidió construir un pueblo.

Primero, compró el terreno. Luego, contrató a los trabajadores para construir caminos y cabañas de madera para las familias.

Muy pronto empezó a llegar gente de todo el país. Querían trabajar en la mina de Hibbing y vivir en su pueblo. Llegó gente incluso de países lejanos como Irlanda, Suecia y Alemania. Muchos iban a trabajar en la mina, pero otros querían abrir tiendas. Pronto hubo también escuelas, iglesias y bancos.

El 15 de agosto de 1893 la gente decidió, por medio de elecciones, llamar al pueblo Hibbing, Minnesota. Hibbing se hizo famoso por su riqueza en hierro. El pueblo creció y creció. Todos sus habitantes estaban muy orgullosos y querían hacer de Hibbing una hermosa ciudad.

Construyeron teatros elegantes, parques bellos y casas grandes. Abrieron excelentes escuelas para los niños y cuidaron con cariño su pueblo.

Pero un día los dueños de las minas hicieron un descubrimiento: EL MEJOR HIERRO ESTABA EXACTAMENTE DEBAJO DEL PUEBLO DE HIBBING.

Esquina de Hibbing en 1920

La gente de Hibbing se tendría que mudar. De lo contrario, las minas se cerrarían y los mineros se quedarían sin trabajo. Pronto los otros negocios también tendrían que cerrar.

La gente de Hibbing estaba muy contrariada. Habían trabajado duramente para construir su hermoso pueblo. ¿Cómo podrían abandonarlo? ¿Cómo iban a permitir que lo derribaran?

—¿Adónde iremos? —se preguntaban.

—Les construiremos un pueblo nuevo —dijeron los dueños de las minas.

—Pero, ¿qué va a pasar con nuestras casas lindas, nuestros teatros elegantes y nuestros hoteles hermosos? —preguntaba la gente.

Los dueños de las minas pensaron y pensaron y por último encontraron una solución:

—¡Trasladaremos el pueblo entero! —dijeron.

Parecía una gran idea. Pero, ¿cómo podrían lograrlo? Los dueños de las minas y los habitantes de Hibbing se reunieron para pensar y discutir.

—Tenemos caballos y tractores —dijo alguien—. Podríamos arrastrar los edificios.

No los podemos arrastrar —dijo el alcalde—. Se destrozarían. Necesitamos ruedas o algo parecido.

—Las ruedas son un problema —dijeron los dueños de las minas—. No son lo suficientemente grandes o fuertes como para mover un edificio.

—Bueno —dijo otro—, tenemos muchos árboles. Podríamos cortarlos, pulirlos y hacer que nuestras casas rueden sobre ellos.

—¡Eso es! —exclamaron todos.

Los dueños de las minas y los habitantes del pueblo empezaron a prepararse para el día de la mudanza. Primero, separaron todos los edificios de sus cimientos. Luego, excavaron unos nuevos cimientos. Cortaron árboles, les quitaron las ramas y alisaron los troncos.

En todo el mundo se conoció la mudanza de Hibbing.

—¡Imposible! —decían.

El diario de una gran ciudad afirmó:
"¡EN HIBBING SE HAN VUELTO LOCOS!"

Nadie creía que la gente de Hibbing pudiera trasladar el pueblo entero.

Por fin llegó el día de la mudanza. El Hotel Hibbing se trasladaría en primer lugar. Los mineros ataron grandes cadenas y cuerdas a las grúas de la mina. Las grúas se movían con máquinas de vapor. Luego, sujetaron el hotel con las cadenas. Lentamente las grúas levantaron el hotel y, girando lentamente, lo colocaron con cuidado encima de los troncos.

Después, sujetaron el hotel con cuerdas y correas que se engancharon a los caballos. —¡Arre, arre! —gritaban los hombres.

Los caballos echaron a andar y lentamente el Hotel Hibbing rodó calle abajo.

Tan pronto como el tronco de atrás se salía de debajo del edificio, la gente lo agarraba. Lo ataban a un caballo que lo arrastraba hacia adelante. Entonces, lo ponían nuevamente debajo del edificio.

Calle abajo fueron rodando los edificios hacia sus nuevos terrenos. Día tras día, la gente de Hibbing trabajó para salvar su lindo pueblo.

Por fin quedaron trasladados todos los edificios comerciales. Ahora les tocaría a las casas.

—¿Qué haremos con nuestros muebles? —preguntaron las mujeres.

—¿Y con nuestros juguetes y ropa? —dijeron los niños.

—Dejen todo en las casas. Ustedes también pueden ir en ellas —les contestaron.

Traslado de un edificio comercial en 1919

Traslado de una casa en 1919

Al día siguiente se colocó la primera casa sobre los troncos. Y empezó el recorrido por la calle. Se ponía un tronco delante. Cuando el de atrás se salía, era de nuevo arrastrado hacia adelante y otro más salía de atrás.

Y así hicieron hasta que fueron trasladadas, una por una, 186 casas. ¡La gente de Hibbing lo había logrado! ¡Habían trasladado el pueblo!

La mudanza de Hibbing comenzó en el año 1912, pero el esfuerzo principal se hizo en 1921. La mayoría de los edificios fueron trasladados en los años 20, aunque el último edificio se trasladó en el otoño de 1953 o la primavera de 1954.

La gente de Hibbing trasladó su pueblo porque lo amaba. Sólo muchos años después se enteraron de que habían hecho historia. Si hoy visitas Hibbing, puedes ver muchos de los edificios que rodaron sobre troncos hasta donde están ahora. Y la gente aún dice orgullosa:

—Somos de Hibbing, el pueblo que se mudó.

Traslado de una casa por un puente a finales de los años veinte

Preguntas

1. ¿Por qué era importante el hierro en el siglo XIX?

2. ¿Por qué nadie creía que la gente de Hibbing pudiera trasladar el pueblo entero?

3. ¿Crees que habría sido más fácil construir un nuevo pueblo que trasladar el antiguo? Explica tu respuesta.

4. Si construyeras un pueblo nuevo, ¿qué pondrías en él?

Aplicación de destrezas de lectura
Resumir

Lee los párrafos siguientes. Luego, escribe un resumen de cada párrafo. Usa tus propias palabras.

1. El mineral de hierro aparece en una roca mezclado con otros minerales. En el siglo XIX el hierro era muy necesario para construir trenes y vías de ferrocarril.

2. Calle abajo rodaron los edificios hacia sus nuevos terrenos. Día tras día, la gente de Hibbing trabajó para salvar su lindo pueblo.

EL SECRETO DE LOS NOMBRES

¿Cómo recibieron su nombre los estados, los pueblos y las ciudades de nuestro país? El pueblo que se mudó se llamaba Hibbing. Hibbing era el apellido del hombre que fundó el pueblo. Muchos lugares llevan el apellido de alguna persona, como Alviso, González y Martínez. ¿Conoces a alguien que tenga uno de estos apellidos?

Muchos lugares recibieron el nombre de ciudades o países que la gente conocía antes de llegar a los Estados Unidos. El nombre de Nueva York viene del condado de York, Inglaterra. ¿Por qué crees que el estado de Nuevo México lleva su nombre?

Otros lugares tienen los nombres de las plantas que crecen allí. Alameda, Los Álamos y Paso Robles son pueblos que llevan nombres de árboles.

Imagínate que tienes que cambiar el nombre de tu pueblo o ciudad. Usa las siguientes ideas para inventar tres nombres distintos.

1. nombre de alguna persona muy conocida
2. nombre de alguna planta
3. nombre de origen indio

Santiago

PURA BELPRÉ

Santiago tiene una historia interesante que contar. El único problema es que Erni, su mejor amigo, no la quiere escuchar. Erni cree que Santiago ha inventado la historia. ¿Es cierto lo que cuenta Santiago? ¿O es, como "La historia de Paul Bunyan", un cuento exagerado?

—¡Santiago! —mamá llamó de la cocina.

Silencio.

—¡Santiago Román!

Silencio aún.

Mamá entró en la sala. Allí estaba Santiago mirando hacia la luz a través del estereoscopio.

—Santiago, te he estado llamando. ¿No me oíste?

—Pero estoy mirando el retrato de Selina que me envió abuelita.

—Selina, Selina. Mañana, tarde y noche, no hablas de otra cosa. La dejaste en Puerto Rico, pero oyéndote hablar cualquiera creería que está aquí en Nueva York. Guarda ese estereoscopio. Ven, toma tu desayuno o llegarás tarde a la escuela.

Santiago le dio otra miradita rápida al retrato y puso entonces el estereoscopio sobre la mesa junto a una calabaza tallada. Lentamente, siguió a su mamá a la cocina.

—¿Puedo llevar el estereoscopio a la escuela, mamá? Quiero que los niños vean a Selina.

239

—Así que hablas acerca de esa gallina en la escuela, también. Termina el desayuno, Santiago.

La mamá de Santiago le dio un saquito de papel.

—Aquí está tu almuerzo. La papeleta de permiso está firmada. Es un buen día para almorzar junto al río —dijo sonriendo.

Pero Santiago comió sólo un poquito del desayuno. Entonces recogió el almuerzo y la papeleta.

¡Cómo deseaba poder llevar el estereoscopio a la escuela para enseñar su Selina a Erni, especialmente a Erni! De los ocho niños en la clase, Erni era el único que realmente no creía que Selina existiera. Él deseaba que Erni creyera en Selina.

—Vamos —dijo su mamá.

La escuela estaba a una cuadra de distancia, justamente a la vuelta de la esquina donde vivía. Caminaron deprisa hasta la esquina.

La luz cambió y cruzaron al otro lado rápido.

—Ahora corre —dijo su mamá, y lo besó.

Santiago corrió hacia la entrada principal. En medio del camino se detuvo súbitamente. ¿Estaba viendo visiones? Cerró los ojos y los abrió rápidamente. Era cierto. Al otro lado de la calle, debajo de un leño largo fuera del estacionamiento, una gallina, una gallina grande y blanca, estaba picoteando.

Santiago corrió a la escuela. Había llegado tarde.

Cuando entró a su salón de clase, todos los alumnos estaban ocupados.

—Escuchen todos. Acabo de ver una gallina, una gallina grande y blanca —exclamó.

—¿Dónde viste la gallina? —preguntaron los niños.

—En ninguna parte. Él no vio ninguna gallina —dijo Erni sin volverse.

—Sí que la vi —insistió Santiago.

—Aquí vamos otra vez —dijo la señorita Taylor—. Me siento exactamente como un árbitro, y el tema es siempre gallinas. Deja que Santiago termine su narración, Erni.

—¿Ustedes conocen el estacionamiento al otro lado de la calle? —continuó Santiago—. Bien, allí mismo, fuera de la cerca de alambre, hay un leño grande. Picoteando debajo del leño está la gallina.

241

—Oh, tú sólo pensaste que viste una gallina —dijo Erni—. Ésta es la ciudad de Nueva York. Las gallinas no caminan por las calles aquí.

—Basta ya, Erni —dijo la señorita Taylor.

—Santiago, ¿estás seguro de que viste esta gallina?

—Sí, señorita Taylor.

—Bueno. Entonces podemos resolver este asunto. Iremos a ver esta gallina.

—¿Ahora, ahora? —preguntaron los niños.

—Ahora volvemos a trabajar. De camino hacia el río, nos detendremos en el estacionamiento.

El trabajo prosiguió. Lucila y María volvieron a sus pinturas digitales. Héctor y Erni empezaron a arreglar los cartones para el foso de su castillo. Shirley y Clarisa empezaron a escoger los caracoles que iban a pegar en el costurero. Santiago y José empezaron a cortar esterillas de mesa.

La señorita Taylor recogió el trabajo de rafia y lo puso sobre la mesa junto a su escritorio. Ese Santiago, pensó, parece estar en dos lugares al mismo tiempo. Vive en Nueva York, pero su mente está llena de aventuras con esa gallina favorita en Puerto Rico. Muchas veces les ha contado a los niños acerca de ella. Y todos le creen, excepto Erni. A Erni hay que demostrarle las cosas para que crea.

—No hay más engrudo, señorita Taylor —dijo Clarisa—. ¿Debo buscar más?

La señorita Taylor miró el reloj.

—Si vamos a detenernos en el estacionamiento, es mejor que empecemos a prepararnos. Guarden todo y lávense las manos.

Todos los niños se lavaron tan bien como pudieron. Pronto estaban listos para salir.

—Quédense junto a sus compañeros —dijo la señorita Taylor, indicando el camino.

Más adelante estaba el estacionamiento. Dos trabajadores en overoles estaban sentados en el leño comiendo su almuerzo. Los niños los rodearon.

—¿Dónde está ella? —preguntó Santiago.

—¿Dónde está quién? —preguntaron los hombres.

—La gallina blanca —explicó Santiago.

—Mira, hijito, esto es un estacionamiento, no un gallinero.

—¿Ves? —exclamó Erni—. Yo te lo dije. Tú no viste una gallina.

—Tal vez está en el estacionamiento —sugirió Santiago.

244

Todos miraron cuidadosamente a través de la cerca de alambre. Vieron automóviles y camiones de todos los tamaños y colores, tres árboles grandes en la parte de atrás y un perro de presa atado a un poste. Pero nadie vio una gallina blanca. Mientras estaban mirando, otro trabajador se unió a los dos en el leño.

—¿Qué pasa aquí? —preguntó.

—La búsqueda de una gallina. Tú no la has visto, ¿verdad?

—¿Quién, yo? ¿Es esto una broma?

—Déjeme explicar —dijo la señorita Taylor—. Ven acá, Santiago. Este niño asegura que esta mañana vio una gallina grande y blanca picoteando debajo de este leño. Hemos venido aquí para verla y terminar una discusión. Pero si ustedes, que trabajan aquí, no han visto una gallina . . .

—Espere un momento, señorita —interrumpió uno de los trabajadores—. No dijimos que trabajábamos aquí. En realidad, trabajamos calle abajo, y venimos aquí sólo a comer nuestro almuerzo.

—Yo conozco a alguien que trabaja aquí —dijo otro—. Esperen sólo un segundo.

Fue al taller de la esquina, y regresó con un hombre grueso vestido con un overol azul.

—Éste es Ángelo. Dile tu cuento, niño.

Santiago repitió la narración una vez más.

—¿La vio usted, señor Ángelo?

—Seguro, seguro —dijo, aún riendo—. Ésa era mi Rosina.

—¿Pero, dónde. . . ?

Santiago no terminó su pregunta, porque en ese momento, por un agujero de la cerca de alambre, apareció la gallina grande y blanca.

—Mira, Erni —gritó—. ¡Allí está! ¡Allí está!

Santiago brincó para arriba y para abajo.

—Quédate quieto —dijo Ángelo—. No la asustes. Déjala que venga donde mí.

Todos se estuvieron muy quietos. Erni miró y miró con curiosidad. Lentamente, como una prima donna en un gran escenario, Rosina caminó directamente hacia Ángelo. Él la tomó y le arregló las plumas.

—¿Ella vive aquí? —preguntaron los niños.

—No, no. Ella vive exactamente al otro lado del puente George Washington. Todos los días yo traigo a Bravo, mi perro de presa, para vigilar el estacionamiento. Rosina se queda en casa. Pero ella quiere mucho a Bravo y lo echa de menos. Así que, de vez en cuando, la traigo para que esté con él. Vamos a darle de comer a Bravo, ¿eh, Rosina?

Entró al estacionamiento. Bravo los vio venir y sacudió su rechoncho rabo a manera de saludo.

—Oh, ésa es una gallina que se las gana a todas —dijo Erni.

—A todas, excepto a mi Selina —dijo Santiago rápidamente.

247

—Oh, tú sólo lo dices —dijo Erni.

—Lo puedo probar.

—¿Cómo? —Erni deseaba saber.

Santiago no contestó. Al contrario, se dirigió a la señorita Taylor.

—Por favor, venga a mi casa por un momento. Es sólo calle abajo. Yo quiero que todos vean a mi Selina.

—¿Tu Selina? Yo pensé que estaba en Puerto Rico.

La señorita Taylor estaba confusa.

—¿Cuándo llegó de Puerto Rico? —dijo Erni burlonamente.

Santiago lo ignoró.

—Por favor, señorita —suplicó.

—Bueno, vamos —dijo ella.

Santiago dirigió la marcha a su casa y tocó el timbre. Su mamá jamás había visto a tantos niños en la casa.

Tranquilamente, dijo: —Ésta es mi mamá, la señora Román. Mi papá no está aquí. Él está trabajando.

Luego, se dirigió a su mamá.

—Mamá, ellos han venido a ver a Selina.

Todos esperaban que apareciera una gallina. Santiago tomó el estereoscopio de la mesa y miró a través de él para estar seguro de que el retrato estaba derecho.

—Ahora todos pueden ver a mi Selina. Aquí está ella.

—¿Cómo puede ella estar ahí dentro? ¿Qué es eso? —preguntó Erni, antes que nadie.

Erni era siempre el primero en preguntar.

—Un estereoscopio —contestó Santiago.

—¿Un estereo qué? —preguntó Erni.

—Oh, algo que uno usa para mirar fotografías.

—Déjame ver. Déjame ver —gritaron los niños.

—Sólo una persona puede mirar por el estereoscopio a la vez —dijo la señorita Taylor.

—Formen una fila.

Santiago pasó el estereoscopio a Lucila que era la primera.

—Puedo verla desde la cresta hasta las patas. ¡Tiene tanto colorido!

—No te tomes todo el día. Es mi turno ahora —dijo Héctor.

Lucila le pasó el estereoscopio.

—¡Ay, qué gallina! —exclamó—. Todos los colores del arco iris.

Y así el estereoscopio pasó de mano en mano hasta que le tocó a Erni que estaba al final de la fila. Santiago contuvo la respiración. ¿Qué diría Erni? Su rostro mostró inquietud y preocupación. La señorita Taylor lo notó. Esto era lo que ella había presentido. Erni. Ella debió haberlo adivinado. Ésta era la verdadera razón de la visita. De repente, ella también empezó a preocuparse por lo que Erni diría.

Erni ajustó el estereoscopio a sus ojos. Miró callado por un rato. Movió el estereoscopio despacio de aquí para allá.

—¡Oh, ella es la reina de todas las reinas! Cuando uno mueve este ester. . . ester. . . estereoscopio despacito, la gallina parece moverse. ¡Ay, Santiago! Desearía que estuviera realmente aquí. Podríamos ponerla en el estacionamiento con Rosina. Oigan, Rosina y Selina. Sus nombres suenan casi iguales.

Todos se rieron. Pero, nadie se rió más que Santiago. Su ansiedad y preocupación habían desaparecido.

Erni le pasó el estereoscopio a la señorita Taylor. Ella miró rápidamente.

—¡Ah, es elegante! —exclamó—. Tienes razón, Erni, es una reina. Si yo tuviera una gallina como ésta, Santiago, también hablaría de ella sin parar.

Santiago estaba radiante de alegría. La señorita
Taylor puso el estereoscopio sobre la mesa.
Entonces fue cuando notó la calabaza grande
tallada.

—Esto es una obra de arte —dijo casi para sí.

Pero la mamá de Santiago la oyó y se unió a
ella junto a la mesa.

—Es muy antigua. Como el estereoscopio, ha
estado en nuestra familia por largo tiempo. Fue

tallada por mi abuelo y muestra momentos de la historia de Puerto Rico. Mire, aquí están los indios, Colón, Ponce de León.

Los niños la rodearon.

—Voltéala despacito y di más cosas acerca de ella, como las que me dices a mí, mamá —dijo Santiago.

Y ella continuó su relato.

Ahora la señorita Taylor comprendía por qué Santiago vivía en dos lugares al mismo tiempo.

—Nos tenemos que ir, señora Román. Éste ha sido un día de sorpresas. Quiero darle las gracias por su hospitalidad. Santiago fue muy amable al invitarnos.

—Nuestra casa es vuestra casa, *su* casa, pero, es un buen día para almorzar junto al río. Gócenlo.

La mamá de Santiago abrió la puerta y los niños se marcharon en fila.

—¡Gracias! ¡Gracias! —dijeron a coro.

Una vez fuera, cruzaron la calle brincando y pasaron el Museo Hispánico. Delante iban Santiago y Erni. Marcharon a todo lo largo de la cuadra, adelante hacia Riverside Drive y el río Hudson.

Sí, verdaderamente era un día excelente para comer con amigos junto al río.

252

Pensemos en los relatos de *Viajeros*

En *Viajeros*, leíste relatos sobre la gente que vivía en este país hace mucho tiempo, cuando Estados Unidos era un país muy joven. Muchos de los personajes tenían grandes dificultades. De esas experiencias aprendían mucho.

1. ¿Por qué decidieron mudarse los personajes de "Felipe y Filomena", "Ruedas de carreta" y "El pueblo que se mudó"? ¿En qué son diferentes estos cuentos? ¿En qué se parecen?

2. En "Mi primera maestra", todos los estudiantes eran nuevos. Si tú fueras uno de esos estudiantes, ¿cómo te sentirías? ¿Hay algún estudiante nuevo en tu escuela? ¿Cómo podrías ayudarlo?

3. Paul Bunyan viajó por los Estados Unidos. Describe sus viajes y lo que hizo en cada lugar.

4. ¿En qué cuentos es un animal uno de los personajes principales? Explica cómo ayudó ese animal a las personas.

5. Una de las dificultades que tenían los personajes de *Viajeros* era dormir al aire libre cuando hacía frío. Escribe sobre las otras dificultades que tenían.

En este glosario puedes encontrar el significado de muchas de las palabras más difíciles del libro. Las palabras están en orden alfabético. Las palabras españolas están divididas en sílabas.

En la parte de arriba de cada página, verás dos palabras: son la primera y la última de esa página. Te ayudarán a encontrar la palabra que busques.

Los adjetivos aparecen en masculino singular y los sustantivos en singular. Los verbos aparecen como se usan en el libro. El infinitivo de cada verbo está entre paréntesis. Antes de algunos verbos aparece un pronombre u otra palabra, como en **(se) apresuraba (apresurarse).** Debes buscar esos verbos bajo su letra inicial, en este caso la *a*.

En este glosario se usan las siguientes abreviaturas:

> *adj.*   adjetivo
> *adv.*   adverbio
> *f.*   sustantivo femenino
> *fr.*   frase
> *m.*   sustantivo masculino
> *m. y f.*   sustantivo masculino y femenino
> *n.p.*   nombre propio
> *v.*   verbo

A

Ac·ta Home·stead *n.p.* Ley de 1862 por la que el gobierno de los Estados Unidos daba tierra a los pioneros.

a·cuar·te·la·do *adj.* Se dice del soldado que está en su cuartel. *El soldado acuartelado no podía salir de paseo.*

a·de·cua·do *adj.* Que es bueno o conveniente para un uso o una actividad; apropiado, propio. *El amarillo es el color adecuado para pintar el Sol.*

a·di·vi·nan·za *f.* Frase o dibujo cuyo significado se debe descubrir o adivinar. *Jamás de su casa sale y corre el monte y el valle (el caracol).*

a·do·be *m.* Mezcla de paja y lodo seco que sirve para hacer cosas. *Los muros de la casa son de adobe.*

a·lam·bre *m.* Hilo de metal.

a las cla·ras *fr.* Con claridad, sin esconder nada. *Dime la verdad: háblame a las claras.*

al·bo·ro·to *m.* Ruido de gente que grita o discute; bullicio, bulla. *En el recreo los niños hacían mucho alboroto.*

al·ce *m.* Animal parecido al ciervo, de cuernos muy grandes, que vive en los países del norte.

A·le·ma·nia *n.p.* País del centro de Europa.

al·fa·be·to *m.* Conjunto de las letras de un idioma. *Las tres primeras letras de nuestro alfabeto son a, b y c.*

al·fom·bra *f.* Tela gruesa que se usa para cubrir el suelo. *Hemos comprado una alfombra azul para la sala.*

alforja

al·for·ja *f.* Pieza de tela o cuero con dos bolsas que se lleva al hombro o sobre los caballos y mulas.

a·li·men·to *m.* Cosa que se puede comer. *El pan es un alimento.*

al·ta·voz *m.* Aparato que sirve para subir el volumen de los sonidos. *En el teatro había grandes altavoces.*

a·ma·ne·ce (amanecer) *v.* Aparecer la luz del día. *Cuando amanece el Sol es rojizo.*

a·mo *m.* Persona que tiene una cosa; dueño, propietario. *El perro siguió a su amo.*

an·sie·dad *f.* Estado de preocupación e impaciencia. *Esperamos el resultado del examen con ansiedad.*

an·te·pe·cho *m.* **1.** Barandilla. **2.** Parte de abajo de una ventana donde es posible apoyarse. *Puso las macetas en el antepecho de la ventana.*

a·nu·dó (anudar) *v.* Unir dos hilos o dos cuerdas con un nudo. *Anudó los cordones de sus zapatos.*

a·pa·re·cí (aparecer) *v.* Estar o ponerse una cosa a la vista; presentarse. *Aparecí cuando ya se iban mis amigos.*

a pe·sar de *fr.* Aunque alguien no esté de acuerdo; aunque haya problemas. *Saldré a la calle a pesar de la lluvia.*

a·pre·cia·rás (apreciar) *v.* Darse cuenta del valor de algo o alguien; valorar. *Apreciarás a Juan: es un buen amigo.*

(se) a·pre·su·ra·ba (apresurarse) *v.* Hacer algo rápidamente o con prisa. *Se apresuraba para llegar antes de las cinco.*

a·pu·ro *m.* Necesidad de algo que no se tiene; dificultad o peligro que se encuentra al hacer algo. *Ganaba poco y tenía apuros de dinero.*

a·rar *v.* Remover la tierra para sembrar en ella. *El labrador usa el tractor para arar los campos.*

ar·ci·lla *f.* Materia que, mezclada con agua, forma una masa parecida al barro. *Para hacer vasijas de cerámica se usa arcilla.*

a·ro·ma *m.* Olor agradable.

a·rras·trar *v.* **1.** Llevar una cosa tirando de ella. *La locomotora sirve para arrastrar los vagones.* **2.** Mover una cosa de manera que toque el suelo.

ar·tí·cu·lo *m.* Cualquier escrito para un periódico o una revista. *En el periódico hay un artículo sobre el fútbol.*

ar·tri·tis reu·má·ti·ca *f.* Inflamación de las articulaciones.

a·sa *f.* Parte de una vasija, jarra o taza que sirve para agarrarla. *Agarró el jarrón por el asa.*

aserradero

a·se·rra·de·ro *m.* Lugar donde se corta y trabaja la madera. *En el aserradero convierten los troncos en tablas.*

a·sin·tie·ron (asentir) *v.* Estar de acuerdo con algo; decir que sí. *La maestra les preguntó a los niños si querían ir al parque y todos asintieron.*

a·som·bra·do *adj.* Impresionado, sorprendido, extrañado, maravillado. *La belleza del cuadro me dejó asombrado.*

a su car·go *fr.* Bajo su responsabilidad o a su cuidado. *Da de comer al perro porque está a su cargo.*

a·ta·que *m.* Acción de lanzarse contra alguien o algo para causar daño. *El ejército lanzó un ataque contra la ciudad.*

A·tlán·ti·co *n.p.* Océano que está entre América, Europa y África.

a·to·le *m.* Bebida hecha de harina de maíz y agua.

a·ve *f.* Animal con alas y cubierto de plumas; pájaro. *Las palomas y las gallinas son aves.*

a·zo·te·a *f.* Parte plana que cubre una casa; terraza. *Puso la ropa a secar en la azotea.*

B

bal·cón *m.* Ventana abierta desde el suelo que normalmente tiene una terracita con barandilla. *Miraba a la gente apoyada en el balcón.*

banjo

ban·jo *m.* Instrumento musical de cuerda.

ban·que·te *m.* Gran comida. *Hicimos un banquete con 30 invitados para celebrar la victoria.*

ba·tik *m.* Sistema para teñir telas tapando con cera las partes que no se quieren teñir.

Bos·ton *n.p.* Importante ciudad del noreste de los Estados Unidos.

Brai·lle *n.p.* Sistema de escritura para ciegos que tiene puntos en relieve.

bri·llan·te *adj.* **1.** Que tiene mucha luz, que brilla. *El sol es brillante.* **2.** Que es muy inteligente.

Bronx *n.p.* Barrio de la ciudad de Nueva York.

bu·fan·da *f.* Tela larga y estrecha que se pone alrededor del cuello cuando hace frío. *En invierno usamos guantes, gorro y bufanda.*

bul·bo *m.* Parte más gruesa de algunas plantas que está bajo tierra. *La cebolla y el ajo son bulbos.*

C

ca·bo *m.* **1.** Parte final de algo alargado. **2.** Grado militar inmediatamente superior a soldado. *El cabo mandaba un grupo de ocho soldados.*

ca·ca·re·a·ban (cacarear) *v.* Hacer su sonido el gallo o la gallina. *Las gallinas cacareaban antes de comer.*

ca·la·ba·za *f.* Planta cuyo fruto, grande y anaranjado, tiene muchas semillas; zapallo.

Ca·li·for·nia *n.p.* Estado del suroeste de los Estados Unidos.

Ca·na·dá *n.p.* País al norte de los Estados Unidos.

ca·na·rio *m.* Pájaro pequeño y normalmente amarillo de canto agradable.

ca·ñón *m.* **1.** Paso entre montañas que, generalmente, ha sido formado por un río; desfiladero. *Bajamos el cañón del río Colorado.* **2.** Arma de fuego grande.

ca·ra·va·na *f.* Grupo de personas que viajan juntas. *La caravana de carretas iba hacia el oeste.*

car·ca·ja·da *f.* Risa fuerte. *Cuando oímos el chiste, nos reímos a carcajadas.*

car·pin·te·ro *m.* Persona que hace cosas de madera. *El carpintero hizo la mesa y las sillas.*

car·te·ro *m.* Persona que lleva las cartas. *El cartero nos trae las cartas a las once de la mañana.*

cas·tor *m.* Animal peludo, de cola plana, que vive a orillas de ríos y lagos.

catarata

ca·ta·ra·ta *f.* Caída de agua; cascada. *Las cataratas del Niágara son muy grandes.*

ca·tás·tro·fe *f.* Situación en la que hay mucha destrucción; desastre. *Los huracanes, los incendios y los accidentes de avión son catástrofes.*

cau·sa *f.* **1.** Cosa que produce otra. *El trabajo es la causa de tu cansancio.* **2.** Ideal o actividad a la cual uno se dedica con energía. *Los revolucionarios lucharon por la causa de la independencia.*

cel·di·lla *f.* Cada grupo de seis agujeritos en el que se escriben las letras del sistema Braille.

ce·rá·mi·ca *f.* **1.** Arte de hacer objetos de barro cocido. *Susana aprendía cerámica y hacía unos jarrones preciosos.* **2.** Objeto de barro cocido.

ciclón

ci·clón *m.* Viento muy fuerte que gira en círculo. *El ciclón destruyó muchas casas en la costa.*

ci·güe·ña *f.* Pájaro de patas, pescuezo y pico largos.

cis·ne trom·pe·te·ro *m.* Gran cisne blanco que vive en el oeste de América del Norte.

cla·ve *f.* **1.** Grupo de signos cuyo significado sólo conocen algunas personas. **2.** Explicación del significado de unos signos. *Descubrieron la clave y entendieron el extraño mensaje.*

có·di·go *m.* **1.** Conjunto de leyes **2.** Sistema de signos que nos ayuda a entender un mensaje. *Tienes que conocer el código para escribir en Braille.*

co·le·ta·zo *m.* Golpe dado con la cola. *El caballo daba coletazos para espantar las moscas.*

Co·lom·bia *n.p.* País del norte de América del Sur.

co·lo·nia *f.* País gobernado por otro. *Los Estados Unidos eran una colonia de Inglaterra antes de su independencia.*

co·lo·ni·zar *v.* Vivir y trabajar en un territorio nuevo o deshabitado. *Los pioneros fueron a colonizar el Oeste.*

co·lo·no *m.* Persona que vive y trabaja en una colonia. *Los primeros colonos que llegaron a América construyeron casas y cultivaron la tierra.*

co·man·dan·te en je·fe *m.* Jefe de todo un ejército. *El comandante en jefe mandaba a todos los soldados del país.*

co·mu·ni·dad *f.* Grupo de gente que vive en el mismo lugar. *En nuestra comunidad hay muchos vecinos.*

con·fun·dir *v.* **1.** Tomar una cosa por otra. *Por confundir la carretera, llegó a otra ciudad.* **2.** Dejar a alguien sin saber qué hacer o qué decir. *Me confundes con tantas palabras.*

con·fu·sión *f.* **1.** Falta de claridad. *Tenía tanta confusión que no supo cómo responder.* **2.** Desorden, alboroto.

Con·gre·so Con·ti·nen·tal *n.p.* Primer congreso o parlamento de los Estados Unidos.

Con·nect·i·cut *n.p.* Estado del noreste de los Estados Unidos.

cons·tan·te *adj.* Que no cambia. *El tic-tac del reloj es constante.*

con·ti·nen·te *m.* Cada una de las grandes partes de tierra en que se divide nuestro planeta. *África es un continente.*

con·tra·ria·do *adj.* Disgustado, enojado, decepcionado. *Quedó contrariado porque no lo invitamos a la fiesta.*

cos·tu·re·ro *m.* Caja o mueble donde se guarda todo lo necesario para coser. *La aguja y el hilo están en el costurero.*

cotorra

co·to·rra *f.* Pájaro que puede repetir palabras.

cre·en·cia *f.* **1.** Idea de que algo es verdadero. **2.** (creencias) Ideas que se tienen sobre cosas importantes. *Las ideas religiosas son creencias.*

cre·í·a (creer) *v.* Pensar que algo es cierto o que algo existe. *Como María nunca mentía, su madre la creía.*

cria·dor *m.* Persona que cuida y alimenta animales. *El criador tenía unos perritos preciosos.*

cru·jien·te *adj.* Que hace un ruido como el de una rama seca al romperse. *Las papas fritas estaban crujientes.*

cuar·tel ge·ne·ral *m.* Lugar desde donde se dirige un ejército. *Los generales se reúnen en el cuartel general.*

cue·ro *m.* Piel de un animal preparada para fabricar cosas. *Con cuero de vaca se hacen zapatos y bolsos.*

cuervo

cuer·vo *m.* Pájaro negro algo mayor que una paloma.

cul·to *adj.* Que sabe mucho sobre algo. *El profesor era un hombre muy culto.*

cul·tu·ra *f.* Costumbres y creencias de una comunidad.

cu·rio·si·dad *f.* Interés o deseo de conocer algo o enterarse de algo. *Tengo mucha curiosidad por leer el cuento.*

cur·si *adj.* Que trata de ser bonito pero es ridículo. *El sombrero rosa de la tía Gertrudis era muy cursi.*

CH

chas·qui·do *m.* Ruido fuerte, como el de la madera seca al quebrarse. *El látigo dio un chasquido.*

chi·llar *v.* Hacer ruidos fuertes y agudos con la boca; gritar.

chi·rriar *v.* Hacer un sonido fuerte y agudo. *La puerta vieja no para de chirriar.*

D

de·co·ra·ción *f.* **1.** Acción de poner cosas en un lugar para que esté bonito. **2.** Grupo de muebles, pinturas, flores, luces, etc., que se ponen en un lugar.

de·co·ra·do *m.* Grupo de cosas que se ponen en el escenario para representar una obra de teatro.

de·li·cio·so *adj.* Que tiene buen sabor. *El pollo asado estaba delicioso.*

de·rro·ta *f.* Acción de perder una competencia, una batalla, etc. *La derrota del equipo fue clara: perdieron 4 a 1.*

de·sa·ni·ma·do *adj.* Se dice de la persona que ha perdido la voluntad o la confianza. *Las malas noticias dejaron a Juan desanimado.*

des·fi·la·de·ro *m.* Paso estrecho entre montañas. *Para cruzar la sierra hay que ir por un largo desfiladero.*

des·fi·le *m.* Grupo de personas que van unas detrás de otras. *En el desfile de Carnaval había mucha gente.*

des·ha·bi·ta·do *adj.* Sin gente. *El desierto está deshabitado.*

(se fue) des·li·zan·do (deslizarse) *v.* Pasar sobre algo tocándolo suavemente; resbalarse. *Se fue deslizando sobre el hielo.*

de·tec·ti·ve *m.* y *f.* Persona que busca información sobre un delito. *El detective descubrió al ladrón una semana después del robo.*

di·li·gen·te·men·te *adv.* Con destreza y rapidez. *Trabajó diligentemente y acabó enseguida su tarea.*

di·se·ño *m.* Dibujo, hecho sólo con líneas, de un edificio o de una figura. *Hizo un diseño de la casa que quería construir.*

dis·pa·ra (disparar) *v.* Lanzar con un arma una bala, una flecha, etc. *El soldado dispara con su rifle.*

dis·pa·ra·te *m.* Cosa que no tiene sentido. *Decir que la Tierra es cuadrada es un disparate.*

do·na (donar) *v.* Dar, regalar. *Luis dona un cuadro al museo.*

E

e·du·ca·ción es·pe·cial *f.* Programa de enseñanza para un grupo especial de estudiantes.

elote

e·lo·te *m.* Mazorca tierna de maíz. *Cocimos los elotes y los comimos.*

em·pa·na·di·ta *f.* Empanada pequeña.

en·gru·do *m.* Pasta que sirve para pegar; cola. *Pegamos las fotos en el álbum con engrudo.*

en pun·to *fr.* Exactamente. *A las tres en punto salgo de la escuela.*

en·tu·sias·mo *m.* Gran alegría producida por algo; ganas de hacer algo. *Estudiaban historia con entusiasmo.*

equipaje

e·qui·pa·je *m.* Conjunto de maletas, cajas o baúles que uno lleva cuando viaja. *Sólo lleva una bolsa como equipaje.*

e·rup·ción *f.* Salida de lava y rocas por la boca de un volcán.

es·cu·cha·ba (escuchar) *v.* Oír con atención. *Escuchaba al profesor en silencio.*

Es·pa·ña *n.p.* País del suroeste de Europa.

es·pa·ñol *adj.* De España.

es·pí·ri·tu *m.* **1.** Parte del hombre donde se supone que está la capacidad de pensar, sentir, querer, etc.; alma. *El espíritu de ese hombre es cultivado.* **2.** Ser que no tiene cuerpo.

(se) es·ta·ble·cie·ron (establecerse) *v.* Ponerse a vivir o a trabajar en un sitio; instalarse. *Se establecieron en esta ciudad hace diez años.*

es·ta·do *m.* Cada uno de los territorios que forman algunos países.

estereoscopio

es·te·re·os·co·pio *m.* Instrumento que sirve para ver imágenes en tres dimensiones.

es·te·ri·lla *f.* Pieza pequeña de tela gruesa. *Había una esterilla en la puerta de casa.*

es·tu·pen·do *adj.* Muy bueno, muy agradable.

Eu·ro·pa *n.p.* Continente que está entre Asia y el océano Atlántico. *Francia y España están en Europa.*

e·xac·ta·men·te *adv.* Sin error; sin sobrar ni faltar nada; como debe ser. *El libro tiene exactamente cuarenta páginas.*

e·xa·ge·ra·do *adj.* **1.** Más grande de lo normal. *Cincuenta dólares es un precio exagerado para un libro.* **2.** Que exagera mucho.

e·xa·ge·rar *v.* Decir que una cosa es más grande o más importante de lo que es en realidad. *No debes exagerar cuando cuentes la historia.*

ex·ca·va·ron (excavar) *v.* Hacer hoyos o agujeros en la tierra. *Excavaron en el jardín para plantar las semillas.*

ex·ce·len·te *adj.* Muy bueno; superior. *La comida era excelente.*

e·xó·ti·co *adj.* De un lugar lejano; raro, extraño. *En el zoológico tienen muchas aves exóticas.*

ex·pe·ri·men·to *m.* Prueba que se hace para descubrir, demostrar o comprobar algo. *Hizo un experimento mezclando colores para encontrar el color que buscaba.*

ex·per·to 1. *adj.* Que conoce bien o hace bien algo. *Es un profesor experto en matemáticas.* **2.** *m.* Persona experta.

F

fa·mo·so *adj.* Muy conocido; célebre. *Cuando ganó el campeonato se hizo famoso.*

fantasma

fan·tas·ma *m.* Cosa no real que una persona cree ver soñando o despierta. *Se decía que en aquella casa había un fantasma que atravesaba paredes.*

(se) fi·ja·ra (fijarse) *v.* Prestar atención o mirar con atención una cosa. *Si se fijara, vería que la palabra lleva acento.*

Fi·la·del·fia *n.p.* Ciudad del este de los Estados Unidos.

fi·le·te *m.* Trozo de carne o pescado fino y sin hueso. *Me comí un filete por la noche.*

fí·si·co 1. *adj.* Que tiene que ver con el cuerpo. *Tiene un dolor físico.* **2.** *m.* Persona que se dedica al estudio de la física.

fogata

fo·ga·ta *f.* Fuego hecho al aire libre. *Hicimos una fogata junto a la roca.*

for·tu·na *f.* **1.** Dinero y propiedades. *Tiene una pequeña fortuna en el banco.* **2.** Destino. **3.** Buena suerte.

fran·cés *adj.* De Francia.

Fran·cia *n.p.* País del oeste de Europa.

fron·do·so *adj.* Se dice del árbol que tiene muchas hojas o del bosque que tiene muchos árboles; tupido. *Era un árbol frondoso que daba mucha sombra.*

fru·to *m.* Parte de la planta que, normalmente, se puede comer. *El fruto del manzano es la manzana.*

G

ga·llar·do *adj.* **1.** Se dice de la persona alta y guapa. *El príncipe era gallardo.* **2.** Noble y valiente.

ge·ne·ral 1. *adj.* De todos, común, normal. **2.** *m.* Grado militar superior a coronel. *El general mandaba un grupo de mil soldados.*

gi·ron·di·no *m.* Miembro de un grupo político de la Revolución Francesa.

go·ber·na·do *adj.* Que está bajo el poder, el control o la dirección de alguien. *Estados Unidos es un país gobernado por un presidente.*

go·lo·si·na *f.* Comida rica o dulce.

go·lle·rí·a *f.* Comida muy rica. *Ese pescado era una gollería.*

gor·je·ó (gorjear) *v.* Cantar los pájaros.

gra·ba·do·ra *f.* Aparato que graba sonidos en una cinta magnética. *Usamos la grabadora para grabar sus palabras.*

gra·cio·so *adj.* Que hace reír; divertido. *Los payasos son graciosos.*

gra·fo·lo·gí·a *f.* Estudio de las personas por la letra que usan al escribir. *La grafología los ayudó a descubrir que la firma era falsa.*

gran·du·llón *adj.* Se dice de un niño que hace algo que no debería hacer a su edad, o de una persona grande y torpe. *Eres demasiado grandullón para seguir jugando con carritos.*

grú·a *f.* Máquina que sirve para levantar cosas pesadas. *Una grúa subió el carro al barco.*

gue·rre·ro *m.* Persona que lucha en la guerra o en cualquier tipo de pelea. *Los guerreros apaches llevaban arcos y flechas.*

guerrero

guí·a 1. *m.* y *f.* Persona que dirige a otras, les muestra algo o les dice por dónde deben ir. *El guía nos señaló el camino del pueblo.* **2.** *f.* Cosa que sirve para orientar o explicar alguna actividad. *La guía enseña a usar el juguete.*

gus·to·so *adj.* **1.** De sabor agradable o fuerte. **2.** Con placer o satisfacción; sin problemas. *Le haré el favor muy gustoso.*

H

ha·ra·pien·to *adj.* Vestido con harapos o mal vestido; andrajoso. *El hombre harapiento se compró una camisa nueva.*

ha·ra·po *m.* Trozo de tela roto o gastado. *El mendigo estaba vestido con harapos.*

he·chi·ce·ro *m.* Persona que tiene poderes mágicos. *El hechicero de la tribu decía que curaba enfermedades con hierbas.*

hi·po *m.* Movimiento repetido y fuerte entre el estómago y el pecho. *Se quitó el hipo bebiendo agua.*

his·to·ria *f.* **1.** Conjunto de los hechos sucedidos en el pasado. *La historia de los indios es muy interesante.* **2.** Narración de un hecho; cuento.

I

im·pe·di·do 1. *adj.* Que no puede o tiene dificultad para hacer una cosa. **2.** *m.* Persona que por un problema físico tiene dificultad para hacer ciertas cosas.

im·pe·di·men·to *m.* Cosa por la que es difícil hacer algo; obstáculo. *La falta de tiempo es un impedimento para hacer bien este trabajo.*

i·nau·gu·ra·ción *f.* Acción o ceremonia de empezar una actividad. *En la inauguración del campeonato desfilaban los atletas.*

in·de·pen·den·cia *f.* Situación de un país que no está bajo la autoridad de otro. *Los Estados Unidos lograron su independencia de Inglaterra en 1776.*

in·dí·ge·na *m.* y *f.* Persona que ha nacido en un país.

In·gla·te·rra *n.p.* País del noroeste de Europa.

in·glés *adj.* De Inglaterra.

in·quie·to *adj.* Agitado, impaciente, preocupado. *Estaba inquieto mientras esperaba el resultado del examen.*

I·o·wa *n.p.* Estado del centro de los Estados Unidos.

Ir·lan·da *n.p.* Isla grande al noroeste de Inglaterra.

K

Kan·sas *n.p.* Estado del centro de los Estados Unidos.

Ken·ne·bunk·port *n.p.* Pueblo de la costa en el estado de Maine.

Ken·tuck·y *n.p.* Estado del centro de los Estados Unidos.

L

le·ña·dor *m.* Persona que corta árboles. *Los leñadores cortan árboles con sierras.*

le·ño *m.* Trozo grande de un tronco o rama de árbol. *En la chimenea quemamos leños.*

linterna

lin·ter·na *f.* Objeto que da luz con una llama o una bombilla.

lo·do *m.* Mezcla de tierra y agua; barro, fango. *Cuando llueve se forma lodo en el parque.*

lu·pa *f.* Lente para ver las cosas aumentadas de tamaño. *Miró el sello con una lupa.*

LL

llan·ta *f.* **1.** Parte de goma de las ruedas; neumático. **2.** Rueda.

M

Maine *n.p.* Estado del noreste de los Estados Unidos.

Man·hat·tan *n.p.* Isla que es el centro de la ciudad de Nueva York.

ma·ra·vi·llo·so *adj.* Muy bueno o de gran belleza. *El mar es maravilloso en verano.*

Mas·sa·chu·setts *n.p.* Estado del noreste de los Estados Unidos.

me·ca·no·gra·fí·a *f.* Técnica de escribir a máquina. *La mecanografía te ayuda a usar las computadoras.*

me·dí·a (medir) *v.* Conocer de cierta manera cómo es de grande o de intensa una cosa. *Medía la distancia entre dos ciudades. Medía la fuerza de la corriente eléctrica.*

me·la·za *f.* Líquido espeso que se forma al fabricar azúcar.

Mé·xi·co *n.p.* País situado al sur de los Estados Unidos.

mi·cró·fo·no *m.* Aparato que sirve para enviar sonidos hacia un altavoz. *El cantante agarró el micrófono y empezó a cantar.*

mil·pa *f.* Campo donde se cultivan el maíz y otras plantas.

Min·ne·so·ta *n.p.* Estado del norte de los Estados Unidos.

mi·sión *f.* **1.** Trabajo de importancia que se debe hacer. **2.** Lugar donde viven y trabajan personas de una religión. *En la misión de San Antonio vivieron monjes hace muchos años.*

Mi·si·si·pi *n.p.* Gran río del centro de los Estados Unidos.

mol·de·a·do *m.* Figura hecha metiendo arcilla o yeso en una pieza hueca, llamada molde, que le da la forma. *Puso yeso en el molde y cuando se secó tenía el moldeado de un caballito.*

Mount Ver·non *n.p.* Lugar al norte del estado de Virginia donde vivió George Washington.

muebles

mue·ble *m.* Objeto que se puede mover en una casa. *Las mesas, sillas y camas son muebles.*

mús·cu·lo *m.* Cada una de las masas de carne que permiten moverse a los hombres y los animales. *Si haces ejercicios, pondrás fuertes tus músculos.*

N

na·ción *f.* Comunidad de personas que comparten una cultura y, generalmente, hablan la misma lengua. *México es una nación.*

na·rra·dor *m.* Persona que cuenta o escribe una historia. *Mi abuelo es un gran narrador de cuentos.*

na·tu·ral·men·te *adv.* Por supuesto, sin ninguna duda. *Naturalmente, las papas fritas se sirven calientes.*

Niá·ga·ra *n.p.* Río que hace frontera entre los Estados Unidos y el Canadá y que tiene unas famosas cataratas.

(te) nie·gas (negarse) *v.* No querer hacer o decir algo. *Siempre te niegas a hacer favores.*

Nue·va Or·le·áns *n.p.* Ciudad del sur de los Estados Unidos, en la desembocadura del río Misisipi.

nu·tria *f.* Animal de pelo oscuro que vive cerca de los ríos. *Las nutrias jugaban en el agua.*

O

o·je·a·da *f.* Mirada rápida. *Dio una ojeada al cuarto y enseguida vio que estaba limpio.*

o·ri·gi·nal *adj.* **1.** Primero entre varios. *La idea original era mejor, pero era demasiado complicada.* **2.** Diferente, no usado antes. *Ese pantalón anaranjado es muy original.*

o·so blan·co *m.* Oso de pelo blanco que vive en zonas muy frías.

o·ve·rol *m.* Ropa, generalmente de una pieza, usada para trabajar; mono. *El mecánico trabajaba con un overol azul.*

P

pa·cien·cia *f.* Capacidad para aceptar sin enojo situaciones difíciles. *Aguanta con paciencia las bromas más tontas.*

Pa·cí·fi·co *n.p.* Océano que está entre América y Asia.

pal·mo·te·ó (palmotear) *v.* **1.** Dar golpes con la mano abierta. **2.** Dar golpes con la palma de una mano contra la otra. *El niño palmoteó de alegría.*

paloma

pa·lo·ma *f.* Pájaro blanco o pardo muy común en ciudades y pueblos.

pal·par *v.* Tocar una cosa con las manos para saber algo sobre ella. *El médico le quería palpar el cuello.*

pam·pli·na *f.* Cosa sin importancia; tontería. *El chiste era una pamplina.*

pan·ta·no *f.* Terreno lleno de barro y agua poco profunda. *Las aguas del pantano son oscuras.*

pantera

pan·te·ra *f.* Animal similar al jaguar.

pan·tu·fla *f.* Calzado para estar en casa; chancla. *Se puso las pantuflas al llegar a casa.*

pa·pe·le·ta *f.* Papel pequeño donde se escribe alguna información importante. *En la feria compramos cinco papeletas para la rifa.*

pa·rá·li·sis *f.* Pérdida del movimiento en alguna parte del cuerpo. *Tenía parálisis en una pierna y usaba muletas.*

pa·re·cen (parecer) *v.* Tener algo cierta forma o aspecto. *Sus zapatos viejos parecen gastados.*

pa·se·an·do (pasear) *v.* Caminar por placer. *Ayer estuvimos paseando por el parque.*

pa·si·llo *m.* Parte de la casa que une los cuartos; corredor. *Cinco habitaciones daban al largo pasillo.*

pa·tio *m.* Espacio abierto que forma parte de un edificio. *En medio del patio había una fuente.*

pa·trio·ta *m.* y *f.* Persona que ama y defiende a su país. *George Washington fue un patriota.*

per·der *v.* **1.** Dejar de tener o no hallar algo. *Como no quería perder el libro, lo guardó en el cajón.* **2.** No aprovechar o no poder usar algo. *Es tarde, vas a perder el tren.* **3.** No ganar en una competencia. *No podemos perder el partido de béisbol.*

peregrino

pe·re·gri·no *m.* **1.** Persona que viaja a un lugar sagrado. **2.** Cada uno de los primeros colonos ingleses que fundaron Plymouth, Massachusetts.

pe·re·jil *m.* Planta que se usa para dar sabor a las comidas.

per·fec·to *adj.* Que no tiene ninguna falta o defecto. *La fiesta fue perfecta: nos divertimos muchísimo.*

pio·ne·ro *m.* Persona que va por primera vez a un lugar o empieza una actividad. *Los pioneros viajaban al Oeste en el siglo pasado.*

pla·za *f.* Espacio amplio y rodeado de edificios en una ciudad o un pueblo. *Vamos a jugar a la plaza todas las tardes.*

po·bla·dor *m.* Persona que se establece y vive en un lugar; habitante. *Los indios eran los primeros pobladores de América.*

Po·lo·nia *n.p.* País del centro de Europa.

po·ner ma·nos a la o·bra *fr.* Empezar a trabajar en algo. *Hay que poner manos a la obra y terminar el libro antes de mayo.*

por·te·ro *m.* Persona que cuida la entrada de un edificio. *El portero te abrirá la puerta.*

po·tre·ro *m.* Lugar donde viven o comen los caballos. *Había mucha hierba en aquel potrero.*

pra·de·ra *f.* Campo grande cubierto de hierba. *En la verde pradera pastaban las vacas.*

pra·do *m.* Campo con hierba. *Las ovejas se comen la hierba del prado.*

pre·o·cu·pa·ción *f.* Problema que ocupa el pensamiento de una persona. *La enfermedad del niño es una gran preocupación para los padres.*

pri·ma don·na *f.* En ópera, cantante de primera categoría.

prin·ci·pal *adj.* Más importante que las demás cosas o personas. *Entramos por la puerta principal.*

pro·ble·ma *m.* Cosa difícil de explicar o resolver. *La falta de agua es un problema.*

pro·me·dio *m.* Cantidad media. *Por la mañana vinieron 34 estudiantes, por la tarde, 26. El promedio del día fue 30.*

pro·pio *adj.* **1.** De una persona o una cosa. *Pagó mucho dinero para tener una casa propia.* **2.** Característico, particular, peculiar. *El calor es propio del verano.*

pro·vi·sión *f.* Alimentos y otras cosas que se guardan o se llevan a quien los necesita; suministro. *Necesitaba una provisión de aceite.*

Q

(se) que·ja·ra (quejarse) *v.* Decir que no se está a gusto o de acuerdo con algo. *No quería que Juan se quejara de la mala comida delante de la cocinera.*

R

ra·bo *m.* Cola; no se usa para peces ni pájaros. *El perro y la vaca tienen rabo.*

ra·dian·te *adj.* **1.** Que produce rayos o luz; resplandeciente. **2.** Se dice de la persona que muestra mucha alegría o felicidad. *Estaba radiante con el vestido nuevo.*

ra·fia *f.* **1.** Tipo de palma de América y África. **2.** Material sacado de esa palma que sirve para hacer diversos objetos.

ram·pa *f.* Pendiente que sirve para subir y bajar cosas. *Pusieron una rampa para subir los autos al barco.*

rampa

ras·go *m.* **1.** Línea que se hace al escribir o dibujar. **2.** Línea o parte de la cara. *Los rasgos de su cara son agudos.*

re·buz·nó (rebuznar) *v.* Hacer el burro su sonido. *El burro rebuznó tan fuerte que nos asustó.*

re·co·lec·ta·ron (recolectar) *v.* Juntar cosas que están separadas las unas de las otras. *Recolectaron dinero para el viaje de estudios.*

re·fu·gio *m.* Lugar donde se esconden o protegen personas o animales. *La cueva era el refugio de los osos.*

re·par·to *m.* **1.** Acción de dar a cada persona una parte de algo. *Tras el reparto, todos teníamos nuestro trozo de pastel.* **2.** Acción de llevar algo a varias personas. *El reparto de cartas se hace por las mañanas.*

res·pe·tar *v.* **1.** Cumplir las leyes o las instrucciones. *Debemos respetar la regla de no tirar basura en el parque.* **2.** Tratar a una persona con respeto, cuidado y atención. *Debemos respetar a las personas mayores.*

re·ti·ra·do 1. *adj.* Separado o alejado de una cosa. **2.** *m.* Persona que ha dejado de trabajar. *Los retirados tienen mucho tiempo libre.*

re·tra·to *m.* Pintura o fotografía que representa a una persona. *Todos sus rasgos aparecían en el retrato.*

reu·nión *f.* Acción de juntarse personas o animales. *A la reunión vendrán todos los profesores.*

(se) re·vol·ca·ba (revolcarse) *v.* Dar vueltas en el suelo o en un sitio sucio. *El cerdo se revolcaba en el lodo.*

rien·da *f.* Cuerda o correa que sirve para conducir un caballo. *Tiró de las riendas para detener el caballo.*

ri·fle *m.* Arma de fuego con un cañón alargado; fusil. *Usaba un rifle para cazar leones.*

ris·co *m.* Roca difícil y peligrosa de subir. *Para subir al risco tuvimos que usar cuerdas.*

Ro·co·sas *n.p.* Cadena de montañas del oeste de América del Norte.

ru·gió (rugir) *v.* **1.** Hacer su sonido el león, el tigre u otro animal parecido. *El león herido rugió en la selva.* **2.** Dar una persona gritos muy fuertes.

S

sal·chi·cha *f.* Comida hecha de carne metida en una piel fina. *En la carnicería se venden muchas salchichas.*

San A·gus·tín *n.p.* Ciudad de la Florida que es la más antigua de los Estados Unidos y que fue fundada por colonos españoles.

sandía

san·dí·a *f.* Fruta redondeada, verde por fuera y roja por dentro; es dulce y sabrosa.

San Ga·briel *n.p.* Misión y ciudad de California.

se·gu·ri·dad *f.* **1.** Estado de las personas o cosas que no corren peligro. *Por tu seguridad, no vayas muy deprisa en automóvil.* **2.** Situación de la persona que no duda sobre algo. *Dijo con toda seguridad que llegaría antes de las diez.*

se·pa·ra·ron (separar) *v.* **1.** Poner una cosa más lejos de otra de lo que estaba; apartar, alejar. *Separaron la mesa de la pared.* **2.** Tomar una parte de algo y ponerla en otro sitio. *Separaron los trozos de pan y se los comieron.*

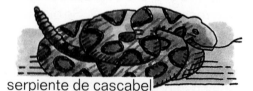

serpiente de cascabel

ser·pien·te de cas·ca·bel *f.* Serpiente venenosa que hace un ruido muy especial.

si·guie·ron (seguir) *v.* **1.** Ir después o detrás de una persona o cosa. *Los niños siguieron a la maestra por la calle.* **2.** Pasar una cosa después de otra.

si·lue·ta *f.* Línea formada por la parte de fuera de una figura; perfil. *Por la noche, sólo se ve la silueta de las montañas.*

sis·te·ma so·lar *m.* Grupo de astros formado por el Sol y los planetas que giran a su alrededor. *La Tierra es uno de los nueve planetas del sistema solar.*

so·lu·ción *f.* Manera de resolver una dificultad o un problema. *Dormir es la única solución para tu cansancio.*

Squan·to *n.p.* Indio de la tribu pawtuxet que ayudó a los peregrinos.

Sue·cia *n.p.* País del norte de Europa.

su·mi·nis·tro *m.* **1.** Acción de dar o vender algo que se necesita. **2.** Cosa que se da o se vende a quien la necesita; provisión. *El suministro de petróleo llega en barcos.*

su·su·rró (susurrar) *v.* Hablar en voz muy baja. *Juan susurró para no despertar al niño.*

T

tan·te·ar *v.* Tocar o agarrar algo para saber su peso, su tamaño, su cantidad, etc. *Debo tantear el paquete para adivinar lo que hay dentro.*

te·ja·do *m.* Parte inclinada que cubre una casa. *En ese pueblo, los tejados de las casas son rojos.*

te·ma *m.* Idea más importante de una plática, una película, un cuento, etc. *El tema del libro es la amistad.*

tem·pe·ra·men·to *m.* Manera de ser de una persona; carácter. *Tenía muy buen temperamento: nunca se enojaba.*

te·nien·te *m.* Grado militar más bajo que el de capitán. *El teniente mandaba un grupo de cien soldados.*

te·rre·no *m.* Trozo de tierra donde se cultiva o se construye algo. *En ese pequeño terreno se construyó la casa.*

tetera

te·te·ra *f.* Objeto de barro o de metal donde se pone el té o donde se calienta el agua.

to·ci·no *m.* Parte grasa de la carne de cerdo. *Desayunan huevos con tocino.*

tor·pe *adj.* Que se mueve o hace algo con dificultad. *Era tan torpe que no podía subirse al árbol.*

tor·ti·lla *f.* **1.** Especie de pan de maíz o trigo. **2.** En España y otros países, comida hecha con huevos batidos.

trac·tor *m.* Máquina que arrastra algo; se usa mucho para las tareas del campo. *Con el tractor llevaban grandes cantidades de trigo.*

tractor

tra·se·ro *adj.* Que está en la parte de atrás de algo; posterior. *Las maletas se ponen en la parte trasera del carro.*

tras·la·dar *v.* Cambiar de lugar. *Trajeron una grúa para trasladar la máquina.*

tra·to *m.* **1.** Acción de hablar o estar con otras personas. **2.** Acuerdo entre dos o más personas. *Hagamos un trato: tú me das tu libro y yo te doy mis canicas.*

tra·ve·su·ri·ta *f.* Cosa que se hace para divertirse y que puede causar algún pequeño problema. *Su travesurita fue ponerme sal en el jugo de naranja.*

tri·bu *f.* Grupo de familias con costumbres y autoridades comunes. *Los miembros de la tribu cazaban juntos.*

tro·pe·zar *v.* Chocar con alguien o algo al caminar. *No para de tropezar con los árboles y las farolas.*

tu·li·pán *m.* Flor de bonitos colores que tiene forma de campana.

tur·no *m.* **1.** Orden en que diferentes personas deben hacer algo. **2.** Momento en que a una persona le toca hacer algo; vez. *Es tu turno para contestar las preguntas.*

V

VCR *m.* Aparato para grabar cintas de vídeo. *Alquilaron una película para verla en el VCR.*

ver·gon·zo·so *adj.* Que da o que tiene vergüenza. *No ayudar a los amigos es vergonzoso.*

vi·gi·lar *v.* Mirar con atención a alguien o algo. *Debes vigilar al perro para que no se coma el pastel.*

vi·rrey *m.* Gobernador de una colonia o provincia que gobernaba en nombre del rey.

W

wam·pa·no·ag *m.* y *f.* Miembro de una tribu india de Rhode Island y Massachusetts.

Z

za·pa *f.* Hoyo que sirve de casa o refugio. *Escarbaron una zapa para pasar allí el invierno.*